U0906022

Yilin Classics

经/典/译/林

稻草人

叶圣陶 著

译林出版社

图书在版编目（CIP）数据

稻草人 / 叶圣陶著. —南京：译林出版社，
2022.11（2024.1重印）
（经典译林）
ISBN 978-7-5447-9408-4

Ⅰ.①稻… Ⅱ.①叶… Ⅲ.①童话－作品集－中国－
当代 Ⅳ.①I287.7

中国版本图书馆 CIP 数据核字（2022）第 169995 号

稻草人　叶圣陶／著

责任编辑　唐洋洋
装帧设计　陈天岷
校　　对　孙玉兰
责任印制　董　虎

出版发行　译林出版社
地　　址　南京市湖南路 1 号 A 楼
邮　　箱　yilin@yilin.com
网　　址　www.yilin.com
市场热线　025-86633278
排　　版　南京展望文化发展有限公司
印　　刷　南京新世纪联盟印务有限公司
开　　本　880 毫米 × 1240 毫米　1/32
印　　张　6.625
插　　页　4
版　　次　2022 年 11 月第 1 版
印　　次　2024 年 1 月第 3 次印刷
书　　号　ISBN 978-7-5447-9408-4
定　　价　29.00 元

序

郑振铎

圣陶集他最近两年来所作的童话编成一集，把其中一篇的篇名《稻草人》作为全集的名称。他要我作一首序文。我是很喜欢读叶圣陶的童话的，而且对于他的童话也想说几句话，现在就乘这机会在此写几个字，不能算是《稻草人》的介绍，不过略述自己的感想而已。

丹麦的童话作家安徒生曾说："人生是最美丽的童话。"这句话，在将来"地国"的乐园实现时，也许是确实的。但在现代的人间，这句话至少有两重错误：第一，现代的人生是最足使人伤感的悲剧，而不是最美丽的童话；第二，最美丽的人生即使在童话里也不容易找到。

现代的人受到种种的压迫与苦闷，强者呼号着反抗，弱者只能绝望地微喟。有许多不自觉的人，像绿草一样，春而遍野，秋而枯死，没有思想，也不去思想；还有许多人住在白石宫里，夏天到海滨去看荡漾的碧波，冬天坐在窗前看飞舞的白雪，或在夕阳最后的淡光中，徘徊于丛树深密、流泉激溅的幽境里，或当暮春与清秋的佳时，弄棹于远山四围塔影映水的绿湖上；他们都可算是幸福的人。他们正如一幅最美丽的画图，谁会见了这幅画图而不留恋呢？然而这不过是一幅画图而已。在真实的人生里，虽也时时现出这些景象，但只是一瞬间的幻觉；而它的背景，不是一片荒凉的沙漠，便是灰暗的波涛汹涌的海洋。所以一切不自觉者与快乐者实际上与一切悲哀者一样，都不过是沙漠中只身旅行、海洋中随波逐浪的小动物而已。如果拿了一具大显微镜，把人生仔细观察一下，便立刻现出克里卜莱·克拉卜莱老人在一滴沟水里所见的可怕现象：

> 所有几千个在这水里的小鬼都跳来跳去，互相吞食，或则彼此互相撕裂，成为片片……这景象如一个城市，人民狂暴地跑着，打着，竞争着，撕裂着，吞食着。在底下的想往上面爬，乘着机会爬在上面的却又被压下了。有一个鬼生了一个小瘤在耳边。他们便想把它取下来，四面拉着他，就此把他吃掉了。只有一个小女儿沉静地坐着，她所求的不过是和平与安宁，但别的鬼不愿意，推着她向前，打她，撕她，也把她吃掉了。

正如那向这显微镜看着的无名的魔术家所说的："这实是一个大都市的情况。"或者更可以加一句："这便是人生。"

如果更深邃地向人生的各方面去看，则几乎无处不现出悲惨的现象。如圣陶在《克宜的经历》里所说的：在商店里，在医院里，在戏馆里，所有的人都是皮包着骨，脸上没有血色，他们的又细又小的腿脚正像鸡的腿脚；或如他在《画眉鸟》里所说的：有腿的人却要别人拉着，拉的人额上渗出汗来，像蒸笼的盖，几个周身蒙了油腻的人终日在沸油的锅子旁为了客人的吩咐而做工，唱歌的女孩子面孔涨得红了，在迸出高声的时候，眉头皱了好几回，颧骨上面的筋也胀粗了，她也是为了他人唱的。虽然圣陶曾赞颂田野的美丽与多趣，然而他的田野是"将来的田野"。现在的田野却如《稻草人》里所写的一样，也是无时无处不出现可悲的事实。

所谓"美丽的童话的人生"在哪里可以找到呢？现代的人世间，哪里可以实现"美丽的童话的人生"呢？

恐怕那种美丽的幸福的生活只在最少数的童话里才能有罢。而那种最少数的美丽的生活，在童话里所表现的，也并不存在于人世间，却存在于虫的世界，花的世界里。至于一切童话里所表现的"人"的生活，仍多冷酷而悲惨的。

我们试读金斯莱的《水孩》,扫烟囱的孩子汤姆在人的社会里所受的是何等冷酷的待遇。再试读王尔德的《安乐王子》,燕子飞在空中所见的是何等悲惨的景象,少年皇帝在梦中所见的又是何等的景象。没有,没有,童话中的人生也是没有快乐的。正如安徒生在他的《一个母亲的故事》里所述的,母亲的孩子给死神抱去了,她竭尽力量想把他抱回,但当她在井口看见孩子的将来的命运时,她便叫道:"还是带他去好!"现代的人生就是这样。

圣陶最初动手写作童话是在我编辑《儿童世界》的那时候。那时,他还梦想一个美丽的童话的人生,一个儿童的天真的国土。我们读他的《小白船》《傻子》《燕子》《芳儿的梦》《新的表》《梧桐子》诸篇,显然可以看出他努力想把自己沉浸在孩提的梦境里,又想把这种美丽的梦境表现在纸面。然而,渐渐地,他的著作情调不自觉地改变了方向。他在去年一月十四日写给我的信上曾说:"今又呈一童话,不识嫌其太不近于'童'否?"在成年人的灰色云雾里,想重现儿童的天真,写儿童的超越一切的心理,几乎是个不可能的企图。圣陶发生的疑惑,也是自然的结果。我们试看他后来的作品,虽然他依旧想用同样的笔调写近于儿童的文字,而同时却不自禁地融化了许多"成人的悲哀"在里面。固然,在文字方面,儿童是不会看不懂的,而那透过纸背的深情,儿童未必便能体会。大概他隐藏在他的童话里的"悲哀"分子,也与契诃夫在他短篇小说和戏曲里所隐藏的一样,渐渐,一天一天地浓厚而且更加重要。他的《一粒种子》《地球》《大喉咙》《旅行家》《鲤鱼的遇险》《眼泪》等篇,所述还不很深切,他还想以"童心"来完成人世间所永不能完成的美满的结局。然而不久,他便无意地自己抛弃了这种幼稚的幻想的美满的"大团圆"。如《画眉鸟》,如《玫瑰和金鱼》,如《花园之外》,如《瞎子和聋子》,如《克宜的经历》等篇,色彩已显出十分灰暗。及至他写到快乐的人薄幕的破裂,他的悲哀已造极顶,即他所信的田野的乐园此时也已摧毁。最后,他对于人世间的希望便随了稻草人而俱倒。"哀者不能使之欢乐",我们看圣陶童话里的人生的历程,即可知现代的人生怎样地凄凉悲惨；梦想者即欲使它在理想的国里美化这么一瞬，仅仅一瞬，而事实上竟不能办到。

人生的美丽的生活在哪里可以找到呢？如果“地国”的乐园不曾实现，人类的这个寻求恐怕永没有终止的时候。

写到这里，我想，我们最好暂且放下这个无答案的冷酷的人生问题，转一个方向，谈谈圣陶的艺术的成就。

圣陶自己很喜欢这童话集；他曾对我说：“我之喜欢《稻草人》，较《隔膜》为甚，所以我希望《稻草人》的出版也较《隔膜》为切。”在《稻草人》里，我喜欢阅读的文字，似乎也较《隔膜》为多。虽然《稻草人》里有几篇文字，如《地球》《旅行家》等，结构上似稍幼稚，而在描写一方面，全集中几乎没一篇不是成功之作。我们一翻开这集子，就读到：

> 一条小溪是各种可爱东西的家。小红花站在那里，只是微笑，有时做很好看的舞蹈。绿草上滴了露珠，好像仙人的衣服，耀人眼睛。溪面铺着萍叶，矗起些桂黄的萍花，仿佛热带地方的睡莲——可以说是小人国里的睡莲。小鱼儿成群来往，针一般的微细，独有两颗眼珠大而发光。
>
> 《小白船》

这是何等迷人的美妙的叙述呀！当我们阅读时，我们的心似乎立刻被带到一条小溪之旁，站在那里赏玩这种美景。然而还不止于此，如果我们继续读下面的几段：

> 许多梧桐子，他们真快活呢。他们穿着碧绿的新衣，都站在窗沿上游戏。周围张着绿绸似的帷幕。一阵风吹来，绿绸似的帷幕飘动起来，像幽静的庭院。从帷幕的缝里，他们可以看见深蓝的天，看见天空中飞过的鸟儿，看见像仙人的衣裳似的白云；晚上，他们可以看见永远笑嘻

嘻的月亮，看见俏皮地眨着眼睛的星星，看见白玉的桥一般的银河，看见提着灯游行的萤火虫。他们看得高兴极了，轻轻地唱起歌来。

《梧桐子》

清澈见底的小河是鲤鱼们的家。白天，金粉似的太阳光洒在河面上，又细又软的波纹好像一层薄薄的轻纱。在这层轻纱下面，鲤鱼们过着十分安逸的日子。夜晚，湛蓝的天空笼罩着河面，小河里的一切都睡着了。鲤鱼们也睡着了，连梦儿也十分甜蜜，有银盘似的月亮和宝石似的星星在天空里守着它们。

《鲤鱼的遇险》

春风来了，细细的柳丝上，不知从什么地方送来些嫩黄色。定睛看去，又说不定是嫩黄色，却有些绿的意思。他们的腰好软呀！轻风将他们的下梢一顺地托起，姿势齐整而好看。默默之间，又一齐垂下了，仿佛小女郎梳齐的头发。

两行柳树中间，横着一道溪水。不知由谁斟满了的，碧清的水面几与岸相平。细的匀的皱纹好美丽呀！仿佛固定了的，看不出波纹推移的痕迹；柳树的倒影，清清楚楚，可以看见。岸滩纷纷披着绿草，正是小鱼们小虾们绝好的住宅。水和泥土的气息发散开来，使人一嗅到，便想起这是春天特有的气息。温和的阳光笼罩溪上，更使每一块石子、每一粒泥沙都有生活的欢乐。

《花园之外》

我们便不知不觉地惊奇起来，而且要带着敬意赞颂他的完美而细腻的描写。实在的，像这种描写，不但非一般粗浅而夸大的作家所能向往的，即在《隔膜》里也难寻到同样的文字。在描写儿童的口吻与人物的个性方面，《稻草人》也是很成功的。

在艺术上，我们实可以公认圣陶是现在中国两三个最成功者当中的一个。

同时《稻草人》的文字又很浅明，没有什么不易明了的地方。如果把这集子给读过四五年书的儿童看，我想他们一定很欢迎的。

有许多人或许要疑惑，像《瞎子和聋子》及《稻草人》、《画眉鸟》等篇，带着极深挚的成人的悲哀与极惨切的失望的呼声，给儿童看是否会引起什么障碍；幼稚的和平纯洁的心里应否即投入人世间的扰乱与丑恶的石子。这个问题，以前也曾有许多人讨论过。我想，这个疑惑似未免过于重视儿童了。把成人的悲哀显示给儿童，可以说是应该的。他们需要知道人间社会的现状，正如需要知道地理和博物的知识一样，我们不必也不能有意地加以防阻。

1923年8月

CONTENTS · 目录

小白船

一条小溪是各种可爱东西的家。小红花站在那里，只是微笑，有时做很好看的舞蹈。绿草上滴了露珠，好像仙人的衣服，耀人眼睛。溪面铺着萍叶，矗起些桂黄的萍花，仿佛热带地方的睡莲——可以说是小人国里的睡莲。小鱼儿成群来往，针一般的微细，独有两颗眼珠大而发光。青蛙儿老是睁着两眼，像看守的样子，大约等待他的好伴。

溪面有极轻的声音——水泡破碎的声音。这是鱼儿做出来的。他们能够用他们的特别方法，奏这奇异的音乐。“泼剌……泼剌”，他们觉得好听极了。

他们就邀着小红花一起舞蹈；绿草因为夸耀自己仙人的衣服，也跟了上来；小人国里的睡莲，喜得轻轻地抖动；青蛙儿看得呆了，不知不觉，随口唱起歌来。

溪上一切东西，更觉得有趣，可爱了。

小溪的右边，泊着一条小小的白船。这是很可爱的白船，船身全是白色，连舵，桨，篷，帆，都是白的；形状正像一支梭子，狭而长。这条船不配给胖子坐的。倘若胖子跨上去，船身一侧，就会掉下水去。也不配给老人坐的。倘若老人坐了，灰黑色的皮肤，网一般的额纹，同美丽的白色不配合在一起，一定使老人羞得要死。这条小船只配给玲珑美丽的小孩子坐的。

这时候，两个孩子走向溪边来了。一个是男孩子，穿白色的衣服，面庞红得像苹果。一个是女孩子，穿同天一样的淡蓝色的衣服，也是红润的面庞，更显得细洁。

他们两个手牵着手，轻快的步子走过小林，便到了溪边，跨上小白船。小白船稳稳地载着他们两个，仿佛有骄傲的意思，略微摆了几摆。

男孩子说："我们且在这里坐一会罢。"

"好，我们看看小鱼儿。"女孩子靠着船舷回答。

小鱼儿依旧奏他们的音乐，青蛙儿还是唱歌。男孩子采了一朵萍花，插在女孩儿的发辫上，看着笑道："你真像个新娘子了。"

女孩儿似乎没有听见，只拉着男孩子的衣，道："我们来唱《鱼儿歌》，我们一齐唱。"

他们唱歌了：

鱼儿来！鱼儿来！我们没有网，我们没有钩。我们唱好听的歌，愿与你们同游。鱼儿来！鱼儿来！我们没有网，我们没有钩。我们采好看的花，愿与你们同游。鱼儿来！鱼儿来！我们没有网，我们没有钩。我们有快乐的一切，愿与你们同游。

歌还没唱完，大风起了，溪旁花草舞得很急，水面也起了波纹。男孩子张起帆来，预备乘风游行。女孩子放下了舵，一手按住，像个老舵工。忽然两岸往后退了,退得非常之快,小白船像飞鱼一般地游行于溪上了。

风真急呀!两岸什么东西都看不清楚,只见一抹抹的黑影向后闪过。船底的水声,罩住了一切声音。白帆袋满了风,像弥勒佛的肚皮。照这样的急风,不知小白船要被吹到哪里去呢!他们两个惊慌了;而且行了好久,不知到了什么地方。想要它停止,可又办不到,它飞奔得正高兴呢。

女孩子哭了。她想起家里的妈妈;想起柔软的小床;想起纯黄的小猫。今天恐怕不能看见了!虽然现在在一起的是亲爱的小伴,但对于那些也觉舍不得。

男孩子替她理被风吹散的头发,一边将手心盛她的眼泪。"不要哭罢,好妹妹,一滴眼泪,譬如一滴甘露,很可惜的。大风总有停止的一刻,犹如巨浪总有平静的一刻。"

她只是哭泣,靠在他的肩上,像一个悲哀的神女。

他设法使船停止。他叫她靠着船舷,自己站起来,左手按帆绳的结,右手执一柄桨。很快的一个动作:左手抽结,右手的桨撑住岸滩。帆慢慢地落下来了,小白船停止了。便看两岸,却是个无人的大野。

他们两个登岸,风还是发狂的样子,大树都摇得有点疲乏了。女孩子揩着眼泪,看看四面无人,又无房屋,不由得又流下泪来。男孩子安慰她道:"没有房屋,我们有小白船呢。没有人,我们两个很快活呢。我想就在小白船里,住这么一世,也是很好。你也这么想罢?我们且走着玩去。"

她自然而然跟着他走了。风吹来,有点寒意,使他们俩贴得愈近,彼此手勾着腰。走不到几百步,看见一树野柿子,差不多挂的无数玛瑙球,有许多熟透的落在地上。她拾起一个来,剥开一尝,非常甘甜,便叫他拾来同吃。

他们俩于是并坐地上吃柿子，一切都忘记了。

忽然从一丛矮树里跑出一只小白兔。它奔到他们俩跟前，就贴伏着不动。她举手抚摩它的软毛，抱它在怀里。男孩子笑道："我们又得一个同伴，更不嫌冷清了！"他说着，剥一个柿子给它吃。小白兔凑近来，红色的果浆涂了半面。

远远地一个人奔来，面貌丑恶可怖，身子也特别地高。他看见小白兔在他们俩身边，就板起面孔来，说他们偷了他的小白兔。男孩子急辩白道："这是他自己奔来的，我们欢喜一切可爱的东西，当然也欢喜他。"

那人点头道："既如此，也不怪你们，还我就是了。"

她舍不得与小白兔分别，抱得更紧一点；面庞贴着他的白毛，有欲哭的意思。那人哪里管她，一抢就将小白兔抢了去。

这时候风渐渐地缓和了。男孩子忽然想起，既然遇到了人，何不问一问此地离家多远，回去应向哪条河水走？他就这样问了。

那人道："你们的家，离这里二十里呢！河水曲折，你们一定不认识回去，可是我可以送你们回去。"

他喜极了，心想这么可怕的样子，原来是个最可爱的人。她就央告道："我们就上小白船去罢。我们的妈妈和小黄猫等着我们呢。"

那人道："不行，我送了你们回去，你们没有什么东西谢我，岂不太吃亏了？"

"我谢你一幅好的图画。"男孩子说。他两手分开，形容画幅的大小。

"我谢你一束波斯菊，红的白的都有，好看煞呢。"女孩子作赠花的姿势。

那人摇头道："都不要。我现在有三个问题，你们若能回答，便送你们回去。若是不能回答，我自抱了小白兔回去，不管你们的事。能够答应吗？”

“能够。”她欢呼一般地喊了出来。

那人说：“第一个问题是：鸟为什么要歌唱？”

“要唱给爱他们的听。”她立刻回答出来。

那人点头，说：“算你答得不错。第二个问题是：花为什么芳香？”

“芳香就是善，花是善的符号呢。”男孩子抢着回答。

那人拍手道：“有意思。第三个问题是：为什么小白船是你们所乘的？”

她举起右手，像在教室里表示能答时的姿势，道：“因为我们的纯洁，唯有小白船合配装载。”

那人大笑，道：“我送你们回去了！”

两个孩子乐极，互相抱着，亲了一亲，便奔回小白船。仍旧是女孩子把舵。

男孩子和那人各划一柄桨。她看看两岸的红树，草屋，平田，都像神仙的境界。更满意的，那只小白兔没有离开，此刻伏在她的足旁。她一手采了一枝蓼花给它咬，逗着它玩。

男孩子说：“没有大风，就没有此刻的趣味。”

女孩子说：“假若我们不能答他的问题，此刻还有趣味吗？”

那人划着桨，看着他们两个微笑，只不开口。

当小白船回到原泊的溪上的时候，小红花和绿草已停止了舞蹈；萍花叶盖着鱼儿睡了；独有青蛙儿还在那里歌唱。

傻　子

傻子的姓名，没有一个人知道。

他自出母胎，就睡在育婴堂墙上的大抽屉里。小朋友看见过那个大抽屉吗？很深，又很广，漆着黑漆，仿佛一具小棺材。父母生了孩子，不喜欢留着的，便送到这个大抽屉里。除了送去的人，谁也不知晓，因为这件事总在黑夜里干的。明天，育婴堂里的人看见抽屉里有了孩子，就留养着，由乳娘给奶吃。可是，不是母亲的奶，又哪有什么甜味呢！傻子就是吃这种没有甜味的奶活着的。

他到两岁光景，身体还是很轻，面孔上有些老年人的皱纹。他只能发"唔哑唔哑"的声音，不能说话，不能叫人——本来有什么人给他亲亲热热地叫呢？他又不会笑。

那一天，乳娘高兴了，抱着他逗他玩。她含一粒粽子糖在口里，要他的小嘴凑着接去吃。他的头被抱近了，小嘴凑近她的嘴了，才出的锋利的门牙割破了她的嘴唇，却没有接到粽子糖。胭脂似的血渗出来，她觉得很痛。于是她怒了，重重地打他的头，又骂道："你这傻子！""傻子"的名字就此开始行用了。

他六岁上出了育婴堂，因为一个木匠领去做徒弟。他举起斧头时，总是摇摇不定，砍下时只削去木头的一丝的皮。他使锯子时，常常因推移不动，涨得面红耳赤；待吃了师父的几下手掌，才得到师父的帮助。他不晓得哭，并且似乎不晓得痛；举得起斧头时他总是砍，推得动锯子时他总是锯。邻近人家看他，都说他真是个傻子。

这是很冷的一夜，傻子还在那里做夜工。因为富翁家里赶紧要造一间有五重复壁的暖室，所以师父命傻子同别一个徒弟连夜锯木板。他吩咐道："你们两个锯完了方可睡觉；明天就好带到富翁家里去用。倘若今夜锯不完，明天休要见我！"师父自去睡了。

傻子听师父已经睡得熟，轻轻地对他的同伴说道："这么冷的天气，你做工作多辛苦，不如去睡觉吧。"

同伴说："我的眼睛早已黏了拢来，最好立刻躺下来睡。可是木头没锯完，明天不能见师父的面呢！"

"有我呢，"傻子拍着胸脯说，"你不用管，这些木头统归我来锯，包你一夜锯完。你的夹被不够暖了，横竖我不睡，你连我的破棉絮一起盖了罢。"

同伴连忙取出自己的夹被同傻子的破棉絮，铺在地上。他躺在上面，鹘落一卷，便进了他的舒服快乐的王国了。

傻子见师兄肯听他说话，非常满足；看自己的破棉絮围成个舒服快乐的王国，事情又多么好呀！他于是重又推动锯子。他的手冻得有些僵了，仿佛没有拿什么东西。细小的煤油灯火，被窗洞里的风吹得东侧西倒。木头上弹着的墨线，实在不容易看清楚。但是他不管，只是一推一挽地锯，差不多一架锯木板的机器。

天亮了，亮得太早一点，傻子还有两根木头没有锯完。师父醒转来，听见还有锯木的声音；看时，只有傻子在那里工作，那一个徒弟却包在破棉絮里。他气极了，跳起身来，拉开破棉絮就要打。傻子急忙申说道："他并不要睡呀，是我叫他睡的，师父不能打他。"

师父听了，益发恼怒，但转了方向，心想傻子不但教人学坏，并且将棉絮借人，鼓励人家学坏，实在可恶。又想，富翁家的工作给他耽误了，不免要受责罚，便举起六尺杆向傻子头上击去，恨恨地骂道："你这傻子！"

这件事的结果是傻子被罚去两顿饭，唯有看他人三口饭一口菜地乱咽。

有一天，他从人家做完工回来，天色已经黑了。他慢慢地走，忽然踏着一件东西。拾起来时，是一个布袋，分量重重的。解开来，凑近电灯底下看，好耀眼的光亮，原来是十来个银元。

于是他站住了。他想："这些白亮亮的东西，于己全没用处。倘若带了回去，今夜还是吃两碗饭，盖一条破棉絮。两碗饭和破棉絮本来就有的呀！但是师父却很中意这东西，不知什么缘故？"

他实在想不明白。他又想："何必去想他呢；横竖没有用，丢了就是了。"

正想向垃圾桶丢时，他又转了一个念头。"这一袋东西总是谁掉了的。那个人倘若同师父一样，决然舍不得这一袋东西。我把它丢在垃圾桶里，不要累那个人哭死吗？"他就立在那里等待。

做夜市的小贩回去了，喝醉的酒客被扶归了，查街的巡士走过了，沿街的门统关上了；街上没有别的东西，只有白而静的电灯。傻子立在电灯下，只不见来找寻这一袋东西的人。他很奇怪，难道是电灯掉了的吗？不然，何以亮着它的独眼，不肯闭着眼跟大家安睡呢？

那边有脚步声了，是急促而不重的脚步声。傻子心想，一定是那个人来了。从电灯光下望去，是一位老太太，眼眶里有泪光。她相着地面走，没有看见傻子。

“老太太，你找一袋白亮的东西吗？在这里！”

“拿来！阿弥陀佛！”老太太皱瘪的脸笑了，笑得真丑。

傻子的师父见傻子不回家，以为他掉在河里了，或者让骗子骗了去。到每晚睡觉的时候，他就睡了。当傻子摸进门时，满屋漆黑，师父打鼾声打得怪响。他摸到破棉絮的地方，就往里一钻。

明天天刚亮，傻子的同伴见傻子躺在自己身旁，便推醒了他，问他昨夜到了哪里去。傻子一一讲了。那个同伴从被窝里伸出右手，指着傻子的额角道：“你这傻子！”

又一天，傻子做工的那人家上梁，照例有糕和馒头赠给工人。傻子得了两块糕两个馒头。

他回家的时候，路上遇见一群难民。几个女子，破而污的衣背里，袋着赤裸的孩子；有几个将孩子抱在怀里给奶吃。他们喊出痛苦的声音，像荒年的老鸦。

很奇怪的，傻子觉得他们的眼光都射在自己手里的糕和馒头上。“他们想吃吗？他们未必知道糕是甜的，馒头是咸的。让他们尝一尝新鲜味道倒也好；横竖这些是我分外的，我回去有分内的两碗饭呢。”于是他倾尽所有送给了难民。

难民哪里料想得到有这么好的馈赠！他们不喊了，将糕和馒头分成无数小块，大大小小都分配到。他们的下颚齐动了，仿佛吃山珍海味那样有滋味。傻子看得很有趣。

傻子的邻居早知傻子当晚有吃的东西带回。当他走到门口时，就喊住他道："上梁的馒头，糕，分一半吃吃。"

傻子扬一扬两只空手，笑道："你何不预先对我说？对不起，全给难民了。"

邻居板起面孔，吐口沫于地，曳长地说："你这傻……子！"

这一天工人都停工，一切人都歇了业，因为要听国王在广场上演说。那个国王非常勇武，带了兵出去攻打别国，没有不胜的。可是新近吃了败仗——第一次的败仗。

傻子跟着众人到场上，站着的人同蚂蚁一般。他慢慢地挤前去，居然到了演说台下。抬头看国王，满面怒容，眼睛似乎放得出火，胡子枪一般地向两旁挑起。他正在那里演说呢。

"……从未有的耻辱！从未有的耻辱！只能我们胜人，哪里有人家胜我？可恨的仇敌啊！可恨的仇敌啊！我此时的心，最好有一个人在旁，给我一刀砍去他的头！……"

全场静悄悄，只有国王的声音。

傻子看国王的样子，非常可怜，这样的恼怒，恐怕要立时昏倒罢？眼前又没有仇敌，哪有方法解他的恼怒呢？一转念间，方法来了，就喊道："国王，不必要杀仇敌罢！你要杀一个人平平气，就杀了我罢！"

"傻子！傻子！"全场的百姓用呼叱猪狗的声音这么喊。他们恨他打断了国王的庄严的演说，一面又讽刺他的愚痴。

忽然国王的怒容消失了。他的眼睛发出慈爱的光，满脸堆着笑意，道：

“你教训了我了！我要打胜仇敌，你却要代替仇敌死，这是我不如你的地方。以后我再不愿打仗了。”

国王请傻子一同回宫，对面饮酒。知他是个木匠，就请他雕一个高大的牌楼，作为永不打仗的纪念。傻子雕这牌楼非常精工，有许多和平之神，手里捧着乐器；许多兽类，贴伏地上，似乎静听音乐的样子；更有许多茂盛的树木花草，都是欢乐舞动的姿态。

牌楼雕成，行开幕礼的那一天，国王亲手挂一个大花圈在正中，全国百姓欢呼庆祝。傻子被抬起来，高高临空，大家向他身上掷彩花。

凡是走过牌楼下的，总指点说：“这是傻子的成绩。”

燕　子

一丛棠棣花在柳树下开得多美丽呀，仿佛天空的繁星放出闪闪的光。顽皮的风推着，摇着，棠棣花怕羞，轻轻地摆动腰肢。风觉得有趣，推着，摇着，再也不肯罢休。棠棣花的腰肢摆动得真有点儿累了。

花丛旁边躺着一只可怜的小东西。他张开嫩黄的小嘴，等待妈妈爱抚的接吻。可是妈妈在哪里呢？他悲哀地叫着。他的蓝色的羽毛闪着光，项颈前围着红色的围巾，真是个美丽的小东西。他背部的羽毛沾着些儿血，原来他受伤了。

清早醒来，他唱罢了晨歌，亲过了妈妈的嘴，笑着对妈妈说："我要去看看春天的景致，听邻家的哥哥姐姐们的歌唱。妈妈，让我出去玩一会儿吧。"

妈妈答应了，亲着他的嫩黄的嘴说："好好儿去吧，我的宝贝。"

他于是离开了家，到处游逛。他听到泉水在细语，看到杜鹃花在浅笑，在幽静的小山上，他唱了几支歌，在清澈的小溪边，他洗了一回澡。他觉得累了，想休息一会儿，就停在柳树的枝丫上。

不知道什么地方飞来一颗泥弹，正打中了他的背。他一阵痛，就从柳树上掉下来，躺在棠棣花旁边。他用小嘴修剔背上的羽毛，沾着湿漉漉的什么东西，一看，红的，这不是血么！他觉得痛得受不了了，就哀哭一般地叫起来："妈妈，你在哪里呀？你的宝贝受伤了！妈妈，你在哪里呀？"

但是，妈妈哪里听得见呢？

柳树听见他哀叫，安慰他说："可怜的小东西，你吃苦了。你的妈妈在哪里？可惜我的手臂够不着你，不能扶你起来。"

池塘里的水听见他哀叫，安慰他说："可怜的小朋友，你吃苦了。你的妈妈在哪里？可惜我不得自由，不能到岸上把你背上的血洗去。"

蜜蜂飞过，听见他哀叫，安慰他说："可怜的小朋友，你吃苦了。你的妈妈在哪里？可惜我的翅膀太单薄，不能抱着你把你送回家去。"

棠棣花早就听到他在哀叫，而且听得最真切，因为贴近他的身旁。她十分可怜他，甜蜜地安慰他说："美丽的小东西，妈妈总会来的，不要哭。你可以在我这里休息一会儿，我盖着你，保护你。你好好儿休息吧。"

听了许多安慰他的话，他似乎痛得轻了些。他心里想："他们多么关心我呀。可是妈妈在等我呢，我不回去，妈妈一定着急了。"

这一天，青子正好放假。她来到野外，采了些野花，预备送给她的小朋友玉儿。她穿着湖色的衫子，两条小胳膊露在外面，又细又软的头发披在肩上，时时被风吹得飘起来。看她的步子这样轻松，就知道她心里装满了快乐。

她手里已经有了红的花和白的花，待看到粉红的棠棣花，她也想采一点儿。正要采的时候，一声哀苦的叫唤使她住了手，原来一只可爱的小燕子躺在那里。啊，闪着光的羽毛上沾着血呢！

她放下手中的花，把小燕子捧了起来；取出雪白的手绢给他擦去背上的血。她轻轻地抚摩着他的羽毛，用右颊亲着他，温柔地说："可怜的小宝贝，你吃苦了。是谁欺侮了你？是谁欺侮了你？现在你的痛苦过去了。我给你睡又软和又温暖的床，给你吃又甜又香的食品。我做你的亲爱的伴侣。你跟我回家去吧，小宝贝。"

小燕子睡在她的手掌上，又温暖又软和，感到非常舒适。可是他又叫了，不是为了痛，只是为了想念妈妈。"妈妈，我遇见了一位可爱的小姑娘。她喜欢我，带我到她家里去了。你到她家里来看我吧，我很平安，但是你要马上来呀！"

柳树、池塘里的水、蜜蜂、棠棣花全都放心了，一同对小燕子说："青子是一位仁慈的小姑娘。她能体会我们的心愿。你跟她去吧。你的妈妈找到这里来，我们会告诉她的。再会了，幸福的小燕子！"

青子把小燕子带到家里，先去告诉了玉儿，顺便把采到的野花送给了她。玉儿听了非常喜欢，说她们俩一定要好好调养小燕子，使他恢复活泼可爱的原样儿。她们俩于是有新鲜的事儿干了。

青子调了些很好的东西给小燕子吃；玉儿采来柔软的草铺在一个匣子里，做小燕子的巢。小燕子吃饱了，因为才受过伤，有点儿疲倦，昏昏沉沉地想睡了。青子和玉儿看护着他，轻轻地唱着催眠曲："小宝贝睡呀！猫来，打他，狗来，骂他，小宝贝睡呀！"小燕子听着歌声，渐渐熟睡了。

小燕子一觉醒来，只见两张笑脸紧贴着，都在看着他呢。他回想自己受伤以后的事儿，心里说："妈妈，你怎么还不来呢？你一定在找我，我却在这里等你。小姑娘待我很好，她们为什么不把你也接来呢？"他一边想，一边滴下眼泪来了。

青子看了觉得很难受,用手绢轻轻地按住自己的眼睛。她说:“小宝贝,暂且忍耐一会儿。现在还没法找到你的妈妈。暂时把我这里当作你的家吧,好好静养,把你的伤快点儿养好。我们一定想办法寻找你的妈妈。”

小燕子只是掉眼泪。

玉儿对他说:“你最喜欢唱歌,一定也喜欢听歌。我唱一支歌给你解闷儿吧。”

玉儿就唱起来:

树上的红从哪里来?
山头的绿从哪里来?
红襟的小宝贝呀,
是你带来了春天的消息。

溪上的绿波从哪里来?
田野的泥香从哪里来?
红襟的小宝贝呀,
是你带来了春天的消息。

醉人的暖风从哪里来?
迷人的烟景从哪里来?
红襟的小宝贝呀,
是你带来了春天的消息。

玉儿唱着，青子和着，歌声格外好听。她们把脸贴着匣子低声问：“你该快活了吧？我们的歌声跟你相比怎么样？”

小燕子本来就喜欢唱歌，听她们这样说，禁不住要试一试。他就唱起来：

亲爱的妈妈你在哪里？
亲爱的妈妈你在哪里？
你的宝贝在这里呀，
谁给你传个消息？

你在山上找我吗？
你在水边找我吗？
你的宝贝在这里呀，
谁给你传个消息？

我在这里等你呢！
我在这里等你呢！
我要睡在你怀里呀，
谁帮我传个消息？

青子忽然拍着玉儿的肩膀说：“想到了，我们何不在报上登个广告呢。”

玉儿马上拿来了铅笔和纸，嚷嚷说：“我来写，我来写。”她就动笔写起来：

亲爱的妈妈，孩儿中了一颗泥弹，受了轻微的伤。青子小姑娘留我住在她家里，现在一切都安适。你不要惊慌，一丝儿惊慌也用不着。可是孩儿盼望妈妈立刻来看我。尽你翅膀的力量——但是不要太累了，快来，快来！你亲爱的小宝贝。

青子笑着对小燕子说："玉儿姑娘代你写得很好。明天你妈妈看报，看见了这个广告，一定会尽快飞来接你。现在你可以宽心了。"

小燕子不再掉泪了。青子和玉儿伴着他，给他讲黄金洞里的小女王的故事。晚上点起了灯，她们又在金色的灯光下唱那些神仙们爱唱的歌，直到他进了梦乡。小燕子梦见同他的妈妈去访问竹鸡的家，小竹鸡取出松子来款待他，他好不快活。

第二天上午，小燕子的妈妈急急忙忙飞来了。她一看见她的宝贝，就张开翅膀抱住他说："寻得我心都碎了！伤在什么地方？我的宝贝……"

小燕子快乐得直流泪。他张开了嫩黄的小嘴，不住地亲他妈妈。他说："妈妈来了，一切都好了！伤口已经结拢，而且丝毫不觉得痛了。"

"你真幸运。"妈妈说，"大家都这样关心你，爱护你。"

小燕子撒娇说："是呀，我遇到的全是好意。要不是大家这样爱护，我的伤不会好得这样快。"

"咱们回家去吧。"妈妈快乐地说。

青子和玉儿掉泪了，她们舍不得小燕子回去，又不忍叫小燕子不要回去。

小燕子安慰她们说："好姑娘，好姑娘，不要哭，我天天来看望你们。我有新鲜的歌，一定来唱给你们听，我有好东西，一定给你们送来，因为你们待我太好了。”

小燕子跟着妈妈回家去了。他每天来看望青子和玉儿，唱一回歌，扑着翅膀跳一回舞。每年春天，他从南方回来，总带些红的白的珊瑚和美丽的贝壳，送给青子和玉儿玩。

青子和玉儿看见他来了，就拿出当时那个匣子说：“你又回来了，这是你的旧居，来歇一歇吧。”

一粒种子

世界上有一粒种子，像核桃那样大，绿色的外皮非常可爱。凡是看见它的人，没一个不喜欢它。听说，要是把它种在土里，就能够钻出碧玉一般的芽来。开的花呢，当然更美丽，不论是玫瑰花，牡丹花，菊花，都比不上它；还有浓厚的香气，不论是芝兰，桂花，玉簪，都比不上它。可是从来没人种过它，自然也就没人见过它的美丽的花，闻过它的花的香气。

国王听说有这样一粒种子，欢喜得只是笑。白花花的胡子，密得像树林，盖住他的嘴，现在树林里露出一个洞——因为嘴笑得合不上了。他说："我的园里，什么花都有了。北方冰雪底下开的小白花，我派专使去移了来；南方热带像盘子那样大的莲花，也有人送来进贡。但是，这些都是世界上平常的花，我弄得到，人家也弄得到，又有什么稀奇？现在好了，有这样一粒种子，只有一粒。等它钻出芽来，开出花来，世界上就没有第二棵。这才显得我最尊贵，最有权力。哈！哈！哈！……"

国王就叫人把这粒种子取来，种在一个白玉盆里。土是御花园里的，筛了又筛，总怕它还不够细；浇的水是用金缸盛着的，滤了又滤，总怕它还不够干净。每天早晨，国王亲自把这个盆从暖房里搬出来，摆在殿前的朱红色石阶上，晚上又亲自搬回去。天气一冷，暖房里还要生上火炉，热烘烘的。

国王睡里梦里，也想看盆里钻出碧玉一般的芽来，醒着的时候更不必说了，老坐在盆旁边等着。但是哪里有碧玉一般的芽呢？只有一个白玉的盆，盛着灰黑的泥。

时间像逃跑一般过去，转眼就是两年。春天，草发芽的时候，国王在盆旁边祝福说："草都发芽了，你也跟着来吧！"秋天，许多种子发芽的时候，国王又在盆旁边祝福说："第二批芽又出来了，你该跟着来了！"但是一点儿效果也没有。于是国王生气了，他说："这是死的种子，又臭又难看，我要它干吗！"他就把种子从泥里挖出来，还是从前的样子，像核桃那样大，皮绿油油的。他越看越生气，就使劲往池子里一扔。

种子从国王的池里，跟着流水，流到乡间的小河里。渔夫在河里打鱼，一扯网，把种子捞上来。他觉得这是个稀奇的种子，就高声叫卖。

富翁听见了，欢喜得直笑，眼睛眯到一块儿，胖胖的脸活像个打足了气的皮球。他说："我的屋里，什么贵重的东西都有了。鸡子那么大的金刚钻，核桃那么大的珍珠，都出大价钱弄到手。可是，这又算什么呢！有的不只我一个人，并且，张口金银珠宝，闭口金银珠宝，也真有点儿俗气。现在呢，有这么一粒种子——只有一粒！这要开出花来，不但可以显出我的高雅，并且可以把世界上的富翁都盖过去。哈！哈！哈！……"

富翁就到渔夫那里把种子买来，种在一个白金缸里。他特意雇了四个有名的花匠，专门照管这一粒种子。这四个花匠是从三百多人里用考试的办法选出来的。考试的题目特别难，一切种植名花的秘诀，都问到了，他们都答得头头是道。考取以后，给他们很高的工钱，另外还有安家费，为的是让他们能安心工作。这四个人确是尽心尽力,轮班在白金缸旁边看着,一分一秒也不断人。他们把本领都用出来,用上好的土、上好的肥料,按时候浇水,按时候晒,总之,凡是他们能做的他们都做了。

富翁想:“这么样看护这粒种子,发芽开花一定加倍快。到开花的时候,我就大请客。把那些跟我差不多的富翁都请到,让他们看看我这天地间没第二份的美丽的奇花,让他们佩服我最阔气,最优越。”他这么想,越想越着急,过一会儿就到白金缸旁边看看。但是哪里有碧玉一般的芽呢?只有一个白金的缸,盛着灰黑的泥。

时间像逃跑一般过去,转眼又是两年。春天,快到宴客的时候,他在缸旁边祝福说:“我就要请客了,你帮帮忙,快点儿发芽开花吧!”秋天,快到宴客的时候,他又在缸旁边祝福说:“我又要请客了,你帮帮忙,快点发芽开花吧!”但是一点儿效果也没有。于是富翁生气了,他说:“这是死的种子,又臭又难看,我要它干吗!”他就把种子从泥里挖出来,还是从前的样子,像核桃那样大,皮绿油油的。他越看越生气,就使劲往墙外边一扔。

种子跳过墙,掉在一个商店门口。商人拾起来,高兴极了,他说:“稀奇的种子掉在我的门口,这一定是要发财了。”他就把种子种在商店旁边。他盼着种子快发芽开花,每天开店的时候去看一回,收店的时候还要去看一回。一年很快过去了,并没看见碧玉一般的芽钻出来。商人生气了,说:“我真是傻子,以为是什么稀奇的种子!原来是死的,又臭又难看。现在明白了,不为它这个坏东西耗费精神了。”他就把种子挖出来,往街上一扔。

种子在街上躺了半天,让清道夫跟脏土一块儿扫在秽土车里,倒在军营旁边。一个兵士拾起来,很高兴地说:“稀奇的种子让我拾着了,一定是要升官。”他就把种子种在军营旁边。他盼着种子快发芽开花,下操的时候就蹲在旁边看着,怀里抱着短枪。别的兵士问他蹲在那里干什么,他瞒着不说。

一年多过去了,还没见碧玉一般的芽钻出来。兵士生气了,他说:“我真是傻子,以为是什么稀奇的种子!原来是死的,又臭又难看。现在明白了,不为它这个坏东西耗费精神了。”他就把种子挖出来,用全身的力气,往很远的地方一扔。

种子飞起来,像坐了飞机。飞呀,飞呀,飞呀,最后掉下来,正是一片碧绿的麦田。

麦田里有个年轻的农夫,皮肤晒得像酱的颜色,红里透黑,胳膊上的筋肉一块块地凸起来,像雕刻的大力士。他手里拿着一把曲颈锄,正在松动田地里的土。他锄一会儿,抬起头来四外看看,由嘴边透出和平的微笑。

他看见种子掉下来,说:“呀,真是一粒可爱的种子!种上它。”他就用锄刨了一个坑,把种子埋在里边。

他照常工作,该耕就耕,该锄就锄,该浇就浇——自然,种那粒种子的地方也一样,耕,锄,浇,样样都做到了。

没几天,在埋那粒种子的地方,碧绿的像小指那样粗的嫩芽钻出来了。又过几天,拔干,抽枝,一棵活像碧玉雕成的小树站在田地里了。梢上很快长了花苞,起初只有核桃那样大,长啊,长啊,像橘子了,像苹果了,像柚子了,终于长到西瓜那样大,开了。瓣是红的,数不清有多少层,蕊是金黄的,数不清有多少根。由花瓣上,由花蕊里,一种新奇的浓厚的香味散发出来,不管是谁，走近了，沾在身上，就永远不散。

年轻的农夫还是照常工作，在田地里来来往往。从这棵稀奇的花旁边走过的时候，他稍微站一会儿，看看花，看看叶，由嘴边透出和平的微笑。

乡村的人都来看这稀奇的花。回去的时候，脸上都挂着和平的微笑，都沾了满身的香味。

地　球

很久很久以前，大地光滑浑圆，跟皮球一样儿。

为什么后来会有高高的山，山下有平地，更有凹下去的盛满了水的海呢？

当初，人们生活在地球上，大家都很安乐。饿了，他们采树上的鲜果吃。鲜果好看极了，拿在手里就让人忘了饥饿；味道又香又甜，吃到嘴里有没法形容的快活。

人们闲着没事做，到处开唱歌会、跳舞会。不光人们，鸟呀，树林呀，风呀，泉水呀，也一同唱歌；野兽呀，大树呀，草呀，星星呀，也跟着跳舞。

人们热闹极了，开心极了；他们不懂得忧愁，从来不啼哭。他们疲倦了就躺在地面上，月亮像一位和善的老太太，用银色的光辉照在他们的脸上。你可以看到他们做着梦，还在开心地笑呢！

忽然从云端里吹来几阵风，把树上的叶子全给吹了下来。人们开始吃惊了，害怕了，他们看到所有的树都只剩下光杆，连一个果子也没有了，肚子要是饿起来，这日子怎么过呢？

唱歌会停止了，跳舞会停止了，大家喊道：

“困难的日子到了！困难的日子到了！你们没瞧见吗，树上连一个果子也没有了？”

“咱们吃什么呢？咱们吃什么呢？肚子饿起来，咱们怎么办？”

“大家快想办法呀！大家快想办法呀！挨饿可不是好受的。”

聪明的人想出办法来了。他们说：“靠果子过日子是靠不住的。咱们会有东西吃的，咱们耕种，咱们收割，咱们把收割下来的东西储藏起来，要吃的时候就拿出来吃，咱们就不会挨饿了。现在只要大家都来耕种。”

大家听了一齐拍手欢呼。他们说：“咱们得救了！咱们不怕挨饿了！大家都来耕种呀！”

他们一边高呼，一边举起锄头，就在自己站着的地方耕种。但是有些柔弱的人，他们拿不动锄头，只好站在一旁呆看。想到自己不久就要挨饿了，他们要求耕种的人说：“你们种出了东西来，分点儿给我们吃吧。咱们是好朋友，你们应该可怜我们，我们拿不动锄头呀。”

拿锄头的人想，分点儿给他们，这还不容易。种出来的东西多了，吃不完堆积起来有什么用呢？他们很痛快地答应了。到了收获的季节，稻呀麦呀，都分给他们每人一份，跟拿锄头耕种的人一样多。

耕种的时候总要拣去一些硬土和石块。大家看那些柔弱的人站的地方反正空着，就把拣出来的硬土石块往那里扔。硬土和石块堆高一点儿，那些柔弱的人就往高里站一点儿。他们好像泛在水缸里的泡沫，水尽管一桶一桶往缸里倒，泡沫总浮在水面上。

拿锄头的人仍旧把耕种出来的东西分给柔弱的人吃，仍旧每人一份。可是要分给他们，不像先前那样便当了，要背着稻呀麦呀，爬上土石堆。土石堆越来越高，稻呀麦呀见得越来越重，压得他们背都弯了，胸口几乎碰着了膝盖。他们像拉风箱似的喘着气，一步一步往土石堆上爬，汗像泉水一般从每一个汗毛孔里流出来。他们唱着歌，忘记了劳累。他们是这样唱的：

他们是我们的好朋友，我们的好朋友。

他们拿不动锄头，我们拿得动锄头。

分给他们一份稻，分给他们一份麦。

反正我们有力气，应该帮助好朋友。

柔弱的人接了礼物，懒懒地吃；才吃完一份，第二份又送来了，送第三份第四份的人背着东西，正跟牛马一样爬上来呢。他们向下望，土石堆上已经给踏出了一条路，背着东西的人脚尖接着脚跟，一摇一晃地在向上爬，真有点儿傻劲。他们看着，又白又瘦的脸上现出冷淡的微笑。

可是不好了，拿锄头的人耕种的地方，有几处忽然积了许多水，不能耕种了。水是从哪里来的呢？聪明的人考察出来了，他们说："你们看柔弱的人站着的土石堆，让咱们踩得往下凹的那条路上，不是涓涓不绝地有水在流下来吗？水冲在石头上，不是激起了浪花吗？水就是从土石堆上流下来的。如果追根究底，那么咱们的身体就是最初的泉源；咱们把东西送上去的时候，每一个汗毛孔就是一个泉眼。"

聪明的人说得不错，但是有水的地方不能耕种了，怎么办呢？只好大家挤紧一点儿，在还没被水淹的地方耕种。

过了一年又一年，拿锄头的人努力耕种，不断地把东西送上土石堆去。

他们的汗水渗进土里,胶住了石块。汗水富有营养,土石堆上于是长出了青青的草,绿油油的树。柔弱的人闲着没事干,眯起深陷的眼睛看着。他们赞美说:“这里应当叫作山。你们看,山上的景致多么好,美丽极了。”

山的周围,硬土石块越堆越多,山就越来越高,爬上去送东西越来越吃力,他们的汗水流得更多了。汗水不停地从山上流下来,地面积水的范围自然越来越扩大,可以耕种的地方自然越来越少了。拿锄头的人只好挤得更紧了。

到了后来,拿锄头的人实在觉得不能再往山上送东西了,再送就会耽误了耕种的季节。他们同柔弱的人商量说:“我们实在没有工夫再给你们送东西了,这山路太长了。你们自己下山来取吧,反正你们闲着没事干。”

柔弱的人摇摇头,他们有气无力地说:“我们这样柔弱,哪能背东西上山呢?你们要可怜我们,帮忙帮到底。咱们是最好最好的好朋友呢!”

拿锄头的人看他们满脸愁容,眼角上似乎挂着泪水,心就软了,对他们说:“既然这样,仍旧照老样子,东西由我们送上山来。我们有一天力气就耕种一天,帮助你们一天。你们放心吧,不用犯愁,没事儿就望望山景吧!”

可是耕种的地方越来越少,拿锄头的人挤得越来越紧,种出来的东西却不会因此而增多。有的人上山去送东西,回来的时候疲乏不堪,又错过了耕种的季节,原先归他们耕种的地方就此荒芜了。别人只好把自己分内的东西省出一部分来分给他们,使他们不至于挨饿。

情形看来越来越糟,大家的土地都有点儿荒芜的样子,但是大家还凑出东西来送上山去,分给柔弱的人的东西还跟分给大家的一样多。本来就吃不饱,又要背着沉重的东西爬这样陡的山路,他们累极了,身上瘦得只剩了一层皮，脸上全是皱纹，背给压弯了，声音也变得又沙又哑。要是说他们曾经是唱歌的好手，跳舞的好手，还有谁相信呢？

有的人因为又饿又累，病倒了，几乎死掉。他们的慈祥的母亲忍不住哭了，眼泪像线一样直往下流，流向水淹的地方。水淹的地方不断地扩大，起风的时候，涌起的波浪像山一样高。

慈祥的母亲望着汹涌的波涛说："这里应当叫作海。海里的水是咸的，都是我的眼泪和孩子的汗水。"

所以即使天朗气清，你到海边去，总可以听到波浪在呜咽着，在诉说悲哀。

前面说的就是地球上怎么会有山有海有平地的故事。你要是问，山上的那些柔弱的人现在到哪里去了呢？我可以告诉你，他们太柔弱了，子子孙孙一代一代传下来，身子越来越小，现在已经小到咱们的目力没法看清的程度。其实小草的根，大树的皮，都是他们寄居的地方。他们再这样一代小于一代，总有一天会从地球上消失的。

芳儿的梦

芳儿看姊姊采了许多凤仙花，白的，红的，妃色的，碎锦的，将细线扎起来，扎成个大而圆的球。她扎好了，挂在窗前看着，只是笑。那个球摇晃不定，花瓣微微抖动，仿佛怕羞的样子，芳儿就想道：

"这差不多学生们踢的大皮球，挂在那里做什么，凤仙枝上若是开了这样一个大球，我就好踢了，现在姊姊只是对它笑笑了，它就会升上天去吧……"

芳儿没有想完，姊姊就回转来问他道：

"明天母亲生日，你送什么东西给她做礼物呢？你看我这花球多好！花是我种的，又是我采的，又是我扎的。母亲看见了，一定说我聪明，并且爱她呢。"

芳儿听说，就想：

"姊姊有礼物，我自然也要送一点礼物。我的礼物比她好呢。送小猎狗罢？不行，小猎狗是母亲给的，怎能就送还她呢？送积木罢？不行，积木是舅舅给的，母亲带回来的，怎能将她手里拿过的东西就送给她呢？送大丽花罢？也不行，大丽花和凤仙花同是花，怎能将和姊妹相仿的东西送给她呢？”

芳儿这样想，心里就不自在起来。他不要看大花球了，只坐在小椅子上默想。他想到树林里的香草，小坡上的小石子，溪边的翠鸟，山泉里的金鱼，他想到一切家里所有的东西，街上所有的东西，山野所有的东西，总觉都不适宜，不配送给母亲做生日的礼物。他要一种世间所少有的东西，少到独一无二的东西，给他取得了，送给母亲。这样才可使母亲有梦中也想不到的欢喜；才可表示对于母亲的爱，是深到海也比不上的。

但是这一件东西在哪里呢？

月亮儿起来得早呵，她在屋角窥芳儿呢。天井里的一角亮起来了，闪在黑暗里的篱笆上的游龙草，也发出光彩了。记得日里头看这些游龙草姊妹的新衣似的，鲜绿的地绣上许多小红花。现在颜色变了，红的绿的都罩着银光了。

芳儿被月儿窥了一窥，他的眼睛自然地抬起来。

“月亮姊姊，你出来得早呀！我要送一件东西给母亲，做她生日的礼物。这件东西要美丽，要稀有，要使母亲有梦中也想不到的欢喜，要表示我对于母亲的爱，深到海也比不上。你是聪明的月亮姊姊，一定知道这件东西，告诉我罢。”

月亮只是微笑。但是她走得近一点了，她的全身活泼泼地全对着芳儿了。

在月亮的旁边，浮着些清淡的云儿。他们穿了洁白的衣裳，衣角和带子飘起来，仿佛跳舞的女郎。他们恐怕月亮寂寞，所以陪着她；恐怕月亮力乏，所以扶着她。芳儿又告诉他们，并且请求道：

“云儿哥哥们，你们伴着月亮姊姊出游吗？我要送一件东西给母亲，做她生日的礼物。这件东西要美丽，要稀有，要使母亲有梦中也想不到的欢喜，要表示我对于母亲的爱，深到海也比不上。你们是聪明的云儿哥哥，一定知道这件东西，告诉我罢。”

云儿们只是拥着月亮姊姊，在深蓝色的帷幕内跳舞，前进。

芳儿想他们玩得耳朵也没有了，他们真开心。就将小椅子移到天井里，自己坐着，抬起了头，索性看他们跳舞。起先，月亮跳着急促的小步，云儿们一侧一摇地跟着，白衣裳飘浮得更好看了。后来。月亮似乎疲倦了，立定在中天。云儿们也就慢慢地徘徊，等候他们的舞伴；这时候，他们的衣裳直垂下来了。

芳儿趁这个当口，又将心事说了，并且请求一回。他再留心看天上，月儿云儿正教他呢。月儿堆着笑脸，她的美丽的眼睛斜向旁边。云儿们从洁白宽大的衣袖里伸出手指来，指着旁边。芳儿看他们的旁边，不是无数灿烂的星儿吗？原来月儿的美丽的眼睛就看着星儿，云儿的衣袖里伸出的手指就指着星儿。

芳儿快活极了，他明白了。心里想道：

“这才是最妙的礼物呢，月亮姊姊云儿哥哥们真聪明呀！姊姊送一个花球，我送一个星环。明天我将这星环，亲手套在母亲的颈间，耀眼的光从母亲身上射出来，岂不美丽？人家的母亲戴什么珠环宝石环，那些都是人世找得到的东西。我却赠她一个星环，岂非稀有？她哪里料得到有这个东西呢？当我给她套上颈间的时候，她自然有梦中也想不到的欢喜了。别人又哪里想得到送这个东西呢？独有我送这个东西，不因为我对于母亲的爱，比海还深吗?”

芳儿这样想着,就谢谢月亮和云儿们。并且给他们祝福道:

“愿你们永久美丽,永久快乐,永久笑,永久跳舞,永久帮助我,告诉我我所想不到的事!”

这时候芳儿的姊姊也到天井里来乘凉了。她端了一张藤椅子,坐在芳儿旁边。她脸上还只是笑,正想凤仙花球怎么美丽,母亲怎么喜欢呢。

芳儿拿住姊姊的手,贴在自己的脸庞上,眼睛看着姊姊,轻轻说道:

“我已想到了送母亲的礼物了。好得很呢,比你的花球好几百倍。但是不告诉你。”

“什么东西呢?好弟弟,说给我听罢。”

“不说,你明天看就是了。这个东西近在眼前,远在天边,美丽到没有一件东西比得上,稀有到人家不曾有过。”

芳儿的姊姊猜了许多东西:香草,小石子,翠鸟,金鱼,一切家里所有的东西,街上所有的东西,山野所有的东西,都猜到了。芳儿只是笑,只是摇头。姊姊着急了,一手从芳儿手里脱出,同那一手合十起来,拜着央求道:

“拜拜你,好弟弟,告诉了我罢!我一定不告诉别人,连枕儿席儿,也不告诉他们。好弟弟,说罢!”

“你一定要我说,先依我一件事,我们先来跳一回绳。跳完了,我再告诉你。”

于是姊弟两个跳绳了。这时候月亮的光直射下来,天井里的一切都罩着银光,他们两个全身浴在银光里。他们跳的时候短短的影子在地上舞动;姊姊的发散乱了,更增加影子的美丽。起先是平常的跳,后改反跳交了手跳，终于两人合跳。小足像点水的燕子一般，刚着地又离地了；绳子从足下闪过，几乎分辨不清楚，只见他们俩包在一个虚空的大圆球里。

姊姊微微地喘息了，芳儿已满面是汗了，才停止了跳绳。芳儿坐在小椅子上，一手拭着头上额上的汗。姊姊催着他道：

“现在依了你了，你好说了。究竟是什么东西？”

“我的礼物是星的环。”

白罗帐里面，芳儿睡得熟了。他的面容如笑，他的呼吸很平和，他应当有可爱的梦呢。

他起身了，被月亮姊姊催起的。他看月亮姊姊穿了一身淡蓝的衣裳，笑的时候，露出银样的牙齿，觉得十分可爱，就投到她的怀里。她拍着他的背心说道：

“你忘了要送礼物给母亲吗？要去取，跟我去，我来领着你。”

芳儿想着了，很感激她，便催她动身。她携了他的手，身子飘飘地上升了。芳儿两足在空中移动，步步都似乎踏着实地，自觉只管离开地面了。往下看去，好大的银被，盖着睡眠的地球。更看月亮姊姊，淡蓝色衣裳给风吹起，飘成绉浪的纹，真像一位仙人呢。

芳儿的两足越移动越快，也越觉得轻松灵便。看看星儿们，近得多了；粒粒像荔枝一般大，光明耀眼。不一会已经到了星儿的群里了。四面一看，仿佛进了结满果子的树林里，手边足边都可以随手采取。再看自己身上，照着形容不出的光亮，连汗毛的根都看得清楚。他快活极了，便动手拾取。

这是很容易的，他拿一颗星儿在手里，非常地轻，似乎没有分量。就一连取了近百颗，将衣裳兜着，快要满了。月亮姊姊给他一条美丽的丝绳，教他穿起来，做成颈环。他照做了。

美丽的颈环！这是从来没有的；现在却在芳儿手里，他要拿去送给母亲，做她生日的礼物了！

他心急得很，要教母亲有梦中也想不到的欢喜，要表示自己对于母亲比海还深的爱。他就带了星环，匆匆跑到家里。刚跨进门，口里喊道：

“母亲，你在哪里？我送你一件礼物，美丽的礼物，稀有的礼物。”

母亲走了出来，就抱他在怀里。他挽转小臂，将手里的星环套到母亲的颈间。形容不出的光亮从母亲身上射出来，母亲就是一位仙人了。他自己不是个小仙人吗？因此快活得手和脚都舞动起来；母亲脸上现着慈爱的笑。

芳儿手足一舞动，他的梦醒了。母亲正伏在枕旁看他；她的脸上，正就现着梦里所见那样慈爱的笑。

新的表

我们大家看见过钟，看见过表，而且能够懂得钟和表告诉我们的。什么时候应当从床上起来了，什么时候应当去做事了，什么时候应当休息了，钟和表都能告诉我们。我们依了他们的话做，一切事情都很好，不会匆忙不会来不及。

谁知愚儿却有个关于表的故事；他因不懂得表耽误了许多事体，闹了许多笑话。现在讲出来给大家听。

愚儿是一个八九岁的孩子。他有一种脾气，没有事做，他会不动不响地过下去。东边靠一靠，靠了大半天。西边立一立，立了三点钟。不知多少次了，父母以为他已到学校里去，随后却看见他立在门前，呆呆地不动也不响。有时候他在桌子上弄唾沫，吹出大的小的泡儿来。这样做下去，连睡眠也忘了，直到母亲拖着他到床上去。

他的脾气只是不改，而且只管厉害。有几次到学校去，在街上看鞋子店里的人扎鞋底，看了整整的一天。饭也没有回去吃，头也不曾转一转。后来家里人不见他归家，派人找寻，才把他拉了回去。因此父亲同母亲商量道：

“这太不成事体了。照他这样的脾气，不要说读书读不好，将来离开了我们，连吃饭都想不到，岂不很危险吗？这必得想个方法才好。第一要紧的，要使他知道什么时候应当做什么事。时间一步一步地过去，事情也一件一件地做去。你看用什么方法最好？”

“我倒有个法子，现在说给你听。他的脾气，坏在不懂得时候，所以不能知道什么时候应当做什么事。我们若教他懂得时候，他就能够按照时候做事了。懂得时候的东西，最妙是钟表。我们给他一个表罢。”

父亲听母亲的话说得很有道理，就买一个表给他。这是个美丽的表，银样的壳子，照得出他的面庞。白瓷的面，画着乌黑的字，长的短的三支针儿，都发出明亮的光。形状同圆的饼干差不多，取在手中，真觉得轻巧可爱——虽然不能送到口里去吃。

父亲叮嘱他道：

“你不懂时间，天天误了你所要做的事。现在给你这个表，它能随时告诉你什么时间，你应当按着它所告诉你的什么时间，去做什么事。你看，到这个时候便起身，到这个时候便入学校，到这个时候便归家，到这个时候便温课，到这个时候便睡眠。记着，你就不至于再犯从前的毛病了。”

父亲指给他看的，是写着6，7，4，5，9几个字的地方。他记住了，牢牢地记住了。他将表捧在手里，眼睛只看着表面。看见一支针指在7字的地方了，马上挂了书包跑出门去。在路上一面走，一面看着表，还没有走到学校那支针已指在9字的地方了。他就回转身来，跑到家里，书包也来不及拿去，就挂了书包躺在床上。一手举起那个表，仰着面，眼睛向上看着。那支针很奇怪，虽然看不出它移动的痕迹，却确然时时变换指示的地方。真是个魔术的东西呵！

那支针指在一个地方了，他所留心的地方，写着4字的地方了。他想到父亲告诉他的话，指在这个地方的时候便归家。但是现在已在家里了，而且在床上了，再归到哪里去呢？记错了父亲的话吧？反复想了十遍二十遍，一点也没有记错，父亲确是说，指在这个地方的时候便归家。一定是这个表作怪了。便竖了起来，奔到父亲的办公室里。

父亲一看见他，觉得奇怪，说道：

"你的毛病还没有好？我已给你一个表，叫你看着它做事，怎么此刻还在这里！已经忘了我的话吗？"

"不！不！我完全没有忘记，这个表作怪呢！我看见针指在这个地方，马上到学校。这不是你告诉我的吗？还没有走到学校，针已指在这个地方，我便跑回来睡眠。这不也是你告诉我的吗？但是现在不对了，现在已指到应当归家的地方——而且过了，我已在家里，归到哪里去呢？若不是这个表作怪，一定是你的话说错了。"

父亲听了，大笑道：

"原来你没有弄明白，我再告诉你。你要看比长针短，短针长的那支针指在什么地方，就按时去做什么事。刚才你看错了，看了长针了。去罢，不要再耽误了别的事。"

他听了只是点头，表示从此明白了，赶到学校里，课还没有上，但是早操的时间过了。先生训诫他说：

"你不想长进吗？你最贪懒的日子索性不来；今天来了，又是这么晚！早操向来没有你的分，难道你这身体是别人的吗？"

他心里明知今天出来得很早，只因看错了表，才耽搁得晚了；但是不敢回答先生，怕先生和同学要笑。上第一堂课了；他坐在课室里，刻刻相着手里的表，比看书用心到一百倍。看看那支比长针短，短针长的针。近了，近了，将近9字的地方了。他想了再想，这一回总不错了，那么回去睡眠罢。便向先生请假，说要回家去。

先生问他为什么要回家，他回答说回去睡眠。这使先生惊异了，很着急地问道：

“什么，回去睡眠？不舒服吗？寒热吗？疟疾吗？”

他只是摇头。先生更为奇怪，高声道：

“既然身体没有什么不舒服，哪有此刻回去睡眠的道理？不许回去！”

他于是哭了，哭得眼泪像雨一般地滴下来。惹得同学都笑了。有几个轻轻地说他道：

“他要回去吃奶呢。”

他听着，哭得更厉害了。先生以为他发了痴，或者心里有别的不高兴的事，一定要叫他说出要回去睡眠的道理来。他一面拭眼泪，一面呜咽地说道：

“我的父亲新给我买一个表，他告诉我，那支比长针短，短针长的针指到什么地方，就该按时去做什么事。他告诉我，那支针指在9字的地方的时候，就该去睡眠。现在指到9字了，所以我要请假回去睡眠。不然，违背了父亲的话是很不好的。先生如不信，给你看表。”

他说着，将表给先生看，那支针已移过9字的地方一些了。先生听了大笑道：

“原来你没有弄明白，我来告诉你。那支针，那支比长针短，短针长的针，一昼夜绕两个圈子呢。从夜间到午间一个，从午间到夜间又是一个。所以早上和晚上都要指着9字的地方一回。你父亲告诉你睡眠的时刻，是说的晚上指着9字的时候呢。哪里是这个时候？”

“还有这么一个道理吗？”

他说着，只是点头，表示从此全明白了。许多的同学又是一场大笑，下课后说他乡下人似的，哪里配用什么表。他只得当作不听见，一个人立在墙角里，偷看手里的表，恐怕误了以后的时刻。

这天下午，那支针指在4字的地方的时候，他赶紧跑回家去。指在5字的地方的时候，他拿出课本来温习。指在9字的地方的时候，他就向父亲母亲说：

“睡眠的时候到了，我去睡了。”

父亲母亲看他这样，心里十分欢喜，赞美他道：

“你好了，你的毛病给一个表治好了。以后依着表告诉你的时候做事，你能成功许多的事呢。现在去睡罢。”

他听了很是欢喜，爬上了床，躺下来，脸上只是笑。笑笑竟笑得熟睡了，一个表还执在手中呢。

明天他醒来，窗上已照着耀眼的日光。他想起了手中的表，想起了起身的时候到了没有，急忙看那支针指着什么地方。远得很呢！远得很呢！现在正指着一个3字，转过两个字，才指到6字呢。他就躺着等它，等它指到6字，再预备起身。

又作怪了！那支针只是指在3字上，好似这3字有什么魔力，把它吸住了！他眼睛看着表，肚里很觉饥饿。但是不愿不依时刻起身，只得等着；心想那支针总要转过去的吧？

母亲看他还没起身，走到他床前看他，他的眼睛张得很大呢。便催他道：

“起来罢，时候不早了，到学校又嫌晚了。”

“不能起来，不能起来，我要准守时刻呢。”

母亲听了很奇怪，以为他还在说梦话。可是看他大大地睁着眼睛，看着手里的表，明明是清醒的了，便说道：

“你要准守时刻，更当赶快起来，否则到学校里要脱课呢。”

他也不回答，只是相着手中的表。母亲摸不清头脑，再三问他为什么不肯就起身？他才答道：

“你看那支针还没有指到6字的地方呢。等指到这个地方的时候就起身，这是父亲告诉我的。”

他说着，将表给母亲看，确然那支针指在3字的地方，没有到6字的地方。母亲大笑道：

“原来你没有弄明白，我来告诉你。这个表的机关停了，须得将这个机关这么地旋，它就再走了。你若不开，要等它指到6字的地方，那是等一千年也等不到的事。”

母亲将机关开足，并且将针儿旋准了，授给他。他看着，只是点头，表示从此全明白了。赶紧起身，收拾停当，跑到学校里，第一堂课已过去了一半了。

可是从此之后，他真个全明白了。他自已能开机关，能够弄准行走的快慢。按照表所告诉他的时刻，每天把逐件事做去，都做得很好。

梧桐子

许多梧桐子，他们真快活呢。他们穿着碧绿的新衣，都站在窗沿上游戏。周围张着绿绸似的帷幕。一阵风吹来，绿绸似的帷幕飘动起来，像幽静的庭院。从帷幕的缝里，他们可以看见深蓝的天，看见天空中飞过的鸟儿，看见像仙人的衣裳似的白云；晚上，他们可以看见永远笑嘻嘻的月亮，看见俏皮地眨着眼睛的星星，看见白玉的桥一般的银河，看见提着灯游行的萤火虫。他们看得高兴极了，轻轻地唱起歌来。这时候，隔壁的柿子也唱了，下面的秋海棠也唱了，石阶底下的蟋蟀也唱了。唱歌的时候有别人来应和，这是多么有趣呀，所以梧桐子们都很快活。

有一颗梧桐子，他不但喜欢看一切美丽的东西，唱种种快活的歌儿，他还想离开窗沿，出去游戏。他羡慕鸟儿，羡慕白云，羡慕萤火虫。他想，要是能跟他们一样到处飞，一定可以看到更多的美丽的东西，唱出更多的快活的歌儿。离开窗沿并不难办，只要一飞就飞出去了。他于是跟母亲说："我要出去游戏，到处飞行，像鸟儿那样，像白云那样，像萤火虫那样，我就可以看到更多的美丽的东西，唱出更多的快活的歌儿。回来的时候，我把看到的一切都讲给您听，给您唱许多许多快活的歌儿。"

他的母亲摇了摇头，身子也摆了几摆，和蔼地对他说："你应该出去旅行，哪有不让你去的道理呢？可是现在，你的身体还不够强壮，再等些时候吧！"

他听了不再作声，心里可不大高兴。他觉得自己已经很胖很结实了，一定是母亲不放他走，什么身体不够强壮，不过是推托的话罢了。他决定不告诉母亲，自个儿偷偷地飞开去。可是飞到了外边，会不会遇上什么困难呢？独自旅行，能不能找到同伴呢？一想到这些，都叫他担心害怕。他于是对哥哥弟弟们说："你们羡慕鸟儿吗？羡慕白云吗？羡慕萤火虫吗？你们想看到更美丽的东西吗？想唱出更快活的歌儿吗？这些都是做得到的，只要你们跟我走。我们就可以跟鸟儿一样，跟白云一样，跟萤火虫一样，到处旅行。"

哥哥弟弟的性情都跟他差不多，谁不喜欢出去旅行，看看广阔的世界？他们都拍着手喊起来："咱们快走吧！咱们快走吧！"

他们换上了褐色的旅行服，站在窗沿下准备着。这时候，绿绸似的帷幕变成黄锦似的了，而且少了许多，变得稀稀朗朗的，因为太阳不太热了。风从稀朗的帷幕间吹来，梧桐子们借着风的力量，都想离开窗沿。大家把身子摇了几摇，却还站在窗沿上。只有一颗，就是最先想到要离开的一颗，独自一个飞走了。他多么高兴呀，自以为领了头，带着哥哥弟弟们到广阔的世界里去旅行了。

他头也不回，只顾往前飞，一会儿高一会儿低。后来，他觉得有点儿力乏了，才回过头去招呼哥哥弟弟们。啊呀，不好了，他们都飞到哪儿去了呢？他心里一慌，身子就笔直往下掉；头脑里迷迷糊糊的，不知落在了什么地方。

他渐渐清醒过来,看看周围,原来他落在田边上,一个十五六岁的姑娘正在栽菜秧。他这才想起了哥哥弟弟们,他们不知道在什么时候离开了他。现在要找他们,实在太不容易了。要是找不着他们,独自一个去旅行,他可有点儿不敢。他们总在附近吧,还是飞起来找一找吧。哪知道他一动也不能动。他着急了,急得流出了眼泪来,向周围看看,只有一位姑娘。他想,那位姑娘也许能帮他点儿忙吧!

他带着哭声说:“姑娘,您看见我的哥哥弟弟们了吗?他们到哪里去了?请你告诉我,可爱的姑娘。”

姑娘只管栽她的菜秧,好像没听见他的话。栽完了六畦,她穿上放在田边的青布衫,两只手扣着纽扣,忽然看见了落在地上的梧桐子,就把他拾了起来。

他在姑娘的手心里,手心又柔软又暖和,真舒服极了。他不再哭了,心里想:“这位姑娘真可爱,她一定知道我的哥哥弟弟们在哪里,一定会把我送到他们身边去的。”

姑娘回到自己家里,把他放在靠窗的桌子上。他以为来到哥哥们弟弟们中间了,急忙向周围看,却一个也没有。他又犯愁了,高声喊:“姑娘,我不要留在这里,我要找我的哥哥弟弟们。请您赶快把我送到他们身边去吧!”

姑娘不理睬他,管自掸去衣裳上的尘土,然后走到窗前,把他捡了起来,用手指捻着玩儿。他好像在摇篮里似的,身子被摇来摇去,觉得很舒服。姑娘捻了一会儿,把他扔起来,用手接住,接了又扔,扔了又接。他一忽儿升起来,一忽儿往下落,又快又稳,也非常有趣。可是一想起哥哥弟弟们,不知道他们现在在哪儿,他心里又很不自在。

姑娘听见她母亲在叫唤了，把他放在靠窗的桌子上就走了。他想：姑娘一走，他就更没有希望了。当初站在家里的窗沿上，以为一离开家，要到哪里就到哪里，自由极了。哪里想到现在自己做不得主，一动也不能动，不要说到处旅行了，就是想回家去看看母亲，打听一下哥哥弟弟们的消息，也办不到。他无法可想，只好对着淡淡的阳光叹气。他懊悔没听母亲的话，母亲早跟他说了，"等你身体强壮了，你就可以离开家了"。身体强壮了，一定可以自由自在地到处飞了；可是现在，懊悔也来不及了。

窗外飞来一只麻雀，落在桌子上，侧着脑袋对他看了又看，两只小脚跳跃着，"啾啾"地叫了。他想，麻雀或者知道哥哥弟弟们的消息，就求他说："麻雀哥哥，您看见了我的哥哥弟弟们吗？他们到哪里去了呢？请您告诉我，可爱的麻雀哥哥。"

麻雀侧着脑袋，又看了看他，跳跃着，又"啾啾"叫了，似乎没听见他的话。麻雀听了一会儿，一口衔住了他，向窗外飞去。

他在麻雀的嘴里，周身觉得很潮润，麻雀用舌头舔他，好像给他挠痒痒似的。他本来很渴了，身上又有点儿痒，所以感到很舒服。他想："麻雀哥哥真可爱，他一定知道我的哥哥弟弟们在哪里，一定会把我送到他们身边去的。"

不知道为什么，麻雀一张嘴，他就从半空里掉了下来。"不好了，又往下掉了，这一回可比前一回高得多，落到地上一定没有命了。我的母亲……"他还没想完，身子已经着地了，他吓得失去了知觉。

其实他好好的，正好落在又松又软的泥里。下了几天春雨，刮了几天春风，他醒过来了。看看自己身上，褐色的旅行服已经不在身上了，换上了一身绿色的新衣,比先前的更加鲜艳。看看周围的邻居,都是些小草,也穿着可爱的绿色的新衣。有了这许多新朋友,他不再觉得寂寞了,可是想起母亲,想起哥哥弟弟们,不知道他们怎样了,心里就不大愉快。

他慢慢地长大了,周围的小草们本来跟他一般高,现在只能盖没他的脚背。他的身子很挺拔,站得笔直,真是个漂亮的小伙子。小草们都很羡慕他,跟他非常亲热。他们说:"你是我们的领袖。你跳舞的时候,我们也跳;你唱歌的时候,我们也唱。可惜我们的身子太柔弱,姿势不如你好看;我们的嗓门也太细,声音不如你好听。这有什么要紧呢?我们中间有了个你,你是我们的领袖。"

他感谢小草们的好意,愿意尽力保护他们。刮狂风的时候,下暴雨的时候,他遮掩着小草们。

有一天,一只燕子飞来,歇在他的肩膀上。燕子本是当邮差的,所以他心里很高兴,就写了一封信交给燕子。他说:"燕子哥哥,好心的邮差,我有一封信,是写给母亲和哥哥弟弟们的。可是我不知道他们在什么地方。请您帮我打听吧;打听到了,就把我这封信给他们看,让他们都能看到。最好能带个回音给我。谢谢您,好心的燕子哥哥。"

燕子一口答应,把信带走了。没过一天,燕子背了一大口袋信回来了,对他说:"你的信来了。他们都给你写了回信哩。"

他快活得不知道说什么好,只是嘻嘻地笑。他先拆开母亲的信,信上说:"得到了你的消息,我很快活。我现在很好。你的哥哥弟弟们跟你一样,也到别处去了。他们常常有信来。现在告诉你一件事儿,你一定会喜欢的,就是你又要有许多小弟弟了。"

他又拆开哥哥弟弟们的回信。下面就是他们信上的话：

“那一天你太性急，独自一个先走了。没隔多久，我也离开了母亲，现在住在一个花园里。”

“我离开了母亲，落在人家的屋檐上。修房子的工匠把我扫了下来，我就在院子里住下了。”

“最有趣的是我到过一位小姑娘的嘴里，才停留了一分钟。”

“我的新衣服绿得美丽极了，你的是什么颜色的？”

“我将来也会有孩子的。希望有一天，你能来看看你的侄子们。”

他看完信，心就安了。母亲和哥哥弟弟们，他们都很好，用不着老挂念他们，只要隔几天写封信去问一问就好了。燕子天天来问他有没有信要送。

他很快活，至今还笔挺地站在那儿，身子只顾往高里长。

大喉咙

一处地方，有许多工厂。他们屋面上，都矗起几个烟囱。浓黑的烟从烟囱里涌出来，好像魔怪的头发，越伸越长，越长越乱。有时候，这一个魔怪的头发，同那一个魔怪的头发缠住了，缠得解也解不开了；那些街上的小孩子都喊道："你们看，魔怪打架了。"好容易来了一个和事佬，含着一大口和平的气，轻轻地把他们吹着，他们的头发才慢慢地解了开来。

工厂里还有一个汽筒，家家有的。他的职司，是专门张着口大喊；十里路以内都能听见。所以大家叫他作"大喉咙"。早上天还没有亮的时候，他尽他的职司，呜呜地喊起来。许多老的少的男的女的听见了，便三脚两步赶到工厂里去。晚上天刚黑的时候，他又尽他的职司，呜呜地喊起来。于是许多老的少的男的女的从工厂里走出来，懒懒地踱回家去。大家都说，大喉咙的叫喊，我们不能不听从啊。他喊着，我们必定要赶快跑进工厂去；他再喊着，我们方能回到家里。假若我们不听从他，要想随意出进，工厂的门就关着了。怎么可以进去呢？怎么可以出来呢？

人家的婴儿，身体贴着母亲的胸怀，小嘴衔着母亲的乳头，睡在床上。这多么温暖，多么舒服。因为吸了甜蜜的奶，连睡眠的滋味也甜蜜了。呜呜呜，大喉咙在那里喊了。婴儿嘴里的乳头没有了！这时候四面漆黑，只得伸出小手去摸。哪里有乳头呢？而且身体冷起来了，非常非常冷了！于是婴儿哭了。哭到太阳来望他的时候，他四面全看到，哪里有母亲的影子呢？

婴儿天天遇到这等情形，他就留心察看，到底母亲的乳头在什么时候逃走的呢？后来被他察看出来了。只听得大喉咙呜呜地一喊，母亲的乳头就逃走了。婴儿便想："倘若大喉咙不喊，母亲的乳头一定不会逃走。这必须同大喉咙去商量，请他不要喊，那就好了。"想定了，就到大喉咙那边去。

更有一个梦仙，她同一个少年很要好，睡在一起。她的手抱了他，他的手也抱了她。这何等的不寂寞，何等的有趣味。呜呜呜，大喉咙在那里喊了。梦仙抱着的少年没有了！这时候四面漆黑，只得伸出两手，满床乱摸。哪里有少年呢？她就觉得很寂寞，觉得没有趣味；于是呜呜咽咽地哭了。哭到晨兴，鸟唱着好听的歌来劝慰她的时候，她全屋子都寻到，田野里山岭上都寻到，哪里有少年的一丝一毫呢？

梦仙天天遇到这等情形，她就留心察看，到底抱着的少年在什么时候失去的呢？后来被她察看出来了。只听得大喉咙呜呜地一喊，抱着的少年就没有了。梦仙便想："倘若大喉咙不喊，抱着的少年一定不会失去。这必须同大喉咙去商量，请他不要喊，那就好了。"想定了，就到大喉咙那边去。

更有一个瞎眼的老妇，她同她的丈夫睡在一起。年纪老了，睡了常常要醒；同丈夫随便谈话，倒也不觉得什么。丈夫还讲些外面的景致给她听，什么地方的树绿了，什么地方的花开了。她就仿佛没有瞎了眼。呜呜呜，大喉咙在那里喊了。丈夫的声音忽然没有了！她提高了喉咙喊，当他是睡熟了，叫他醒醒。哪里有回答呢？她就觉得害怕，觉得夜的长。瞎了的眼睛里，眼泪不大丰富，但也一滴一滴地滴个不歇。哭到邻家的小孩子因为追麻雀而闯进来的时候，她就托他看她的丈夫在哪里。孩子连地板缝里都寻到，哪里有她的丈夫呢？

瞎眼的老妇天天遇到这等情形，她就留心察看，到底丈夫在什么时候走开了的呢？后来被她察看出来了。只听得大喉咙呜呜地一喊，丈夫就急匆匆地溜了出去了。瞎眼的老妇便想："倘若大喉咙不喊，丈夫一定不会溜走。这必须同大喉咙去商量，请他不要喊，那就好了。"想定了，就到大喉咙那边去。

婴儿，梦仙，瞎眼的老妇，三个人在一条路上走，他们讲话了。大家说出来，都是到大喉咙那边去的，就此结为同伴，携着手前去。婴儿道：

"我从不曾好好儿睡眠，当母亲的乳头逃走的时候，我每次想含住她不放逃走，但是做不到。想来大喉咙有什么糖儿花儿在那里诱引我的母亲吧，不然，为什么他一喊，她就去呢？他把她唤去了，我太苦了。必须同他商量去。"

梦仙道：

"我的那少年，他爱我呢。他无时无刻不想找我，他说遇到了我，他才得休息呢。但不知为什么不能和我在一起，多休息一刻；听得大喉咙一喊，他就迷迷糊糊地去了。想来大喉咙有什么魔术的吧？不然，那少年怎肯离开了我去呢？我可怜那少年，我爱那少年，必须同大喉咙商量去。"

瞎眼的老妇道：

"我睡不熟，丈夫也睡不熟，夜又长，大家谈谈说说，还可以过得去。但是他总是说到半中，匆匆地溜走了。待我唤他，他已经在几里之外了。想来大喉咙有老酒请他的吧？不然，他怎么情愿丢下了我去呢？我瞎了眼睛，一个人在家里很怕。所以必须同大喉咙商量去。”

他们讲着自己的事，不觉已到了大喉咙的地方了。他的地位很高呢，同烟囱差不多高，口向着天，张着，只等时刻一到就喊。他真是个能尽职司的。

婴儿抬头一看，第一个胆小起来。这样的高，怎能上去同他说话呢？瞎眼的老妇也是叫苦，从来没有练过跳高，怎能升高呢？幸亏梦仙的身子很轻，轻到没有分量。她自己同云一般的浮起来，毫不费事；还能够把婴儿和瞎眼的老妇托起来，他们才到了大喉咙的面前。

他们就将自己的心愿，都向大喉咙说了。末后一齐说道：

“请你闭着口罢，不要呜呜地大喊。我们不愿意失掉母亲、少年和丈夫呢。”

大喉咙听了，又看他们很可怜的样子，笑说道：

“我的口是张惯了的，不能听了你们就闭拢来。可是我没有知道，我这么一喊便苦了你们。现在你们来说起了，我很可怜你们，以后我不高兴尽职司了，我不喊了，你们放心回去罢。”

他们听见大喉咙的话，快活极了，反觉有点不相信；都问他：“真的吗？”

“哪有骗你们的，你们只消看以后天光大亮的时候，母亲的乳头还在口里，少年还在怀抱里，丈夫还在床里。去罢，我的小弟弟，我的好姑娘，我的老太太。”

婴儿便同大喉咙亲了个吻，梦仙同他跳了一回舞，瞎眼的老妇也同他握了一握手，表示感谢他的意思。于是他们回去了，在路上三个接连着唱道：

我要吸甜蜜的奶，睡在母亲的怀里。

我要永久这样。

现在有希望了！

我要每夜抱着可爱的少年，使他多多安息。

我要永久这样。

现在有希望了！

我要老伴伴着我，在无论什么时候。

我要永久这样。

现在有希望了！

天亮了，太阳照在大喉咙的口上了，他只是默默地不响。走过的人催他道：

“你失职了，还没有喊呢。赶快喊罢！”

他依旧张口向天，理也不理。烟囱里魔鬼的头发全剪去了，一丝也没有飘出来，他们再不能玩打架的把戏了。

婴儿含着母亲的乳头，睡得很甜蜜，小面孔上全是笑意。

梦仙抱着少年一响也不响，让他得充足的休息。

瞎眼的老妇靠在丈夫旁边，说说笑笑，仿佛新娘子同新郎这样的快乐。

大喉咙真的不喊了。

旅行家

在很远很远的一个星球上，住着一位大旅行家。土星，木星，天王星，海王星，他都游历过了，回家休息了一年，觉得太闷气，又想出门游历。他就提起提包，离开了家。到什么地方去呢？总要找个有趣的地方才好呀。听说地球上有许许多多人，那些人都很聪明，想出了种种聪明的办法，造出了种种聪明的器具，过着很好的生活。他想，地球一定是个有趣的地方，不能不去看看。他就决定游历地球。

旅行家先寄了一封信到地球上，告诉地球上的人说，他要到地球游历。地球上的人立刻忙起来了，决定用最隆重的仪式来欢迎旅行家，因为他从很远很远的星球上来，是个应当尊敬的客人。他们决定在东海边上，搭起一座很大很大的牌楼，上面插满了各种颜色的鲜花，衬着碧绿的树叶。这里就算地球的大门，让客人从这里进来。凡是能奏乐的都聚集在那里，组成了极大的乐队，等这位贵宾一到，就奏起最好听的曲子来。

旅行家乘了一艘又轻又快的飞艇，离开了他的星球，向地球前进。经过了不可估量的时间和空间，看到了不知多少星星的真面目，他才穿过云层，来到地球的大门前，东海边上。地球上欢迎的人一齐欢呼起来，乐队就奏起最好听的曲子，把东海的波涛声也给盖住了。牌楼上的花儿好像含着笑，还轻轻地抖动着，似乎花儿也知道，它们是来欢迎尊贵的客人的。

旅行家非常快活，他想，地球上的确很有趣，这班人多么可亲可爱，又多么聪明。开过了欢迎大会，地球上的人把旅行家请进一家最讲究的旅馆。他们又推举出一个人来陪伴旅行家。这个人懂得地球上的一切事物，让旅行家在游历的时候可以随时询问。

吃饭的时候，旅行家吃的是最上等的菜，味道鲜美，分量又多，还没吃完，他的胃已经撑饱了；看看旁边陪他的人，还张大了嘴，不断地往下装。他想这一定有缘故，大概地球上好吃的东西生产得太多，不吃掉，地球上就没处存放了；所以他们尽量吃，把胃给撑大了。他没有受过这种训练，胃还很小，只好不再吃了，就站起来出去散步。陪伴他的人在后边跟着他。

出了旅馆，拐了两个弯，旅行家走进一条狭窄的小巷。两旁的人家也在吃饭。他们没有什么菜，摆在他们面前的只有一小碟子咸豆。旅行家觉得有点儿奇怪，难道他们的胃特别小吗？难道他们不爱吃那些味道鲜美的菜吗？想来想去想不明白，他只好问了："咱们刚才吃的东西那么多，味道那么好，为什么他们只吃一小碟子咸豆呢？"

陪伴的人脸上露出惊奇的神色。他想，这个从遥远的星球上来的客人真有点儿傻气，但是一想到他终究是一位贵宾，就恭恭敬敬地回答说："他们跟我们不同。您初来这儿，自然不明白，住在这条小巷子里的人都很穷。"

"什么叫作'穷'？穷就只要吃一小碟子咸豆就够了？想来穷就是胃长得特别小的意思吧？"

"不，不。穷就是没有钱。在我们地球上，有了钱才能换东西。穷人没有钱,即使有,也很少,他们只能换到很少的质地很差的东西。”

“我更不明白了,钱又是什么东西呢?”

陪伴的人从口袋里掏出一个金元来,给旅行家看。旅行家接过金元,看了这一面,又看那一面,翻过来又翻过去。这确实是个可爱的玩意儿,又光亮又轻巧,但是他有点儿不相信。

“这是小孩儿玩儿的东西,真有趣。可是我不信,用这个可以换别的东西。”

“您不信,我换给您看。您想要什么东西?”

旅行家想了想,别的都用不着,乘了这么一趟飞艇,汗衫有点儿脏了,得换一件了。他就说:“我现在需要一件汗衫。”

陪伴的人带着他走出狭窄的小巷子,来到繁华的大街上。在一家商店里,陪伴的人把金元交给商店里的人,商店里的人就拿出一件漂亮的汗衫来。

陪伴的人说:“您看,汗衫不就换来了吗?这是我们地球上最有名的汗衫,用中国出产的蚕丝织的,您看多么轻,多么软,拿在手里几乎没有分量,可以一把捏在手心里。穿在身上,光彩华丽,妙不可言。”

这件汗衫实在好,旅行家看了心里自然欢喜。但是他立刻又产生了怀疑,因为他看到对面来了一个人,拉着一辆大货车,弯着腰,身子成了钩子似的,走一步停一步。这个人穿着一件破衣服,不但汗透了,还沾满了尘土。旅行家就问:“这个人的衣服脏成这个样子,为什么不去换一件新的呢?”

陪伴的人说:“他也是个穷人,哪里有钱去换漂亮的汗衫呢?”

旅行家又问:“我还是弄不明白,为什么东西一定要用钱去换?谁需要什么,爽爽快快地拣来就用,不是很方便吗?”

“我们地球上向来是这样的,我也不知道究竟为了什么。总之,没有钱就不能拿一丁点儿东西。”

“要是拿了呢?”

“不给钱拿人家的东西,就成了强盗,成了贼,就有官吏把他们关起来。关强盗和贼的地方叫作监牢。我们地球上有许多监牢,里面关了很多强盗和贼。过些天,我可以带您去参观。”

“把他们关起来,不是很费事吗?他们被关在里边,不能自由活动,不是很痛苦吗?你们为什么不给他们一些钱,让他们去换他们需要的东西呢?这样一来,官吏也用不着了,监牢也用不着了,不是省了许多事儿吗?”

“各人的钱,各人自己用,谁也不愿意白白地送给别人。刚才我给您换汗衫的钱,不是我自己的,是公家供给的,因为您是我们的贵宾。您吃饭,住旅馆,还有您需要的一切东西,都由公家付钱,因为您是我们的贵宾。”

“这又是什么缘故呢?谁有多余的钱,分一点给没有钱的人,让他们也能换到需要的东西,岂不大家都很舒服了吗?”

陪伴的人忍不住笑了,他说:“谁的钱有多余,不是可以留在那儿,等到要用的时候用吗?何必白白地分给别人呢?您对我们地球上的情形真个弄不明白吗?”

“原来是这样,我明白了。”

陪伴的人带着旅行家继续往前走。有一家商店,放满了大大小小的各式各样的箱子。旅行家又问:“这是什么东西?是拿来玩的,还是有什么用处？”

“用处可大哩！一切有用的东西都可以藏在里面。”

“我又不明白了。你方才说，需要什么东西可以用钱去换，那么只要有了钱就好了，要用什么都可以立刻换到，何必要把东西收藏起来呢？”

“您又不了解我们地球上的人的想法了。现在不用的东西，收藏在箱子里，等到要用的时候拿出来用，不就把钱省下来了吗？即使自己不用，可以留给子孙用，省下的钱，也可以留给子孙买别的东西。这就是要把东西收藏起来的道理。”

旅行家点点头，懂了。但是他的心情不像来到地球之前那样高兴了。他想，地球上的情形并不十分有趣，传说未免有点儿靠不住，看起来地球上的人不见得很聪明，要不，他们怎么想出用钱来换东西的笨法子来呢？怎么会为了收藏东西，造出箱子这样的笨家伙来呢？为什么有的人可以吃得胃发胀，大多数人只能吃一小碟子咸豆呢？为什么有的人可以穿上中国蚕丝织的汗衫，大多数人只能穿又破又脏的衣服呢？他越想越乏味，没有兴致再参观了，恨不得立刻乘上飞艇，回到自己的星球上去。

但是他又想，地球上的人待他很好，口口声声称他为“贵宾”，要是能够想点儿办法帮助他们，也好报答他们的好意。他就到处去考察，把地球上的情形全弄明白了，才回到自己的星球去。临走的时候，他说：“我还要到地球来的。谢谢你们盛情接待我，我再来的时候，要带一件很好的礼物来送给你们。”

果然没隔多久，旅行家又来了，仍旧乘了飞艇来的。东海边上，地球的大门口，欢呼的声音，奏乐的声音，比前一回更加热烈。大家都要看一看旅行家带来的是什么礼物，欢迎的人多得站也站不下，有的几乎被挤到海里去。

旅行家把礼物拿出来了，是一张机器的图样。他对欢迎他的人说：“我教你们造一种机器，这种机器可以耕田种地，还可以制造各种器具。造起来很容易，使用又很方便。你们愿意试一试吗？”

“愿意！愿意！”大家喊起来，声音像潮水一样。

旅行家来到铁工厂里，教工人照他的图样造出了许多架机器；他让地球上的人把这些机器安放在田里，安放在市场里。大家争先恐后，要看一看旅行家的机器是怎么使用的，田里、市场里都挤满了人。

旅行家把谷种放在机器里，一按机关，这机器就飞快地开动了，不到半分钟，一亩田就播上了种。他又按另一个机关，这机器就开进树林，不到半分钟，就制造出许多精致的桌子椅子。

旅行家对大家说：“不论要它做什么事，制造什么东西，都是这个样子。”

大家看呆了，好像见了魔术师一样。

一个乡下姑娘拿着一绞丝，她想，机器一定能把我的丝制成一件美丽的衣服。她向旅行家提出了她的要求。旅行家把丝放在机器里，按了另一个机关，一件美丽的衣服立刻制成了，又轻又软，光彩鲜艳，跟用中国蚕丝织的没有什么两样。乡下姑娘自然快活非常，大家跟她一样，也嘻嘻哈哈地笑起来。他们只顾唱：

咱们的新生活来到了！

咱们的新生活来到了！

旅行家跟大家讲,要机器做什么,就按哪一个机关。大家都学会了。

需要钢琴的女郎走到机器旁边,一按机关,就得到了一架钢琴。她用钢琴弹了一支优美的曲子。

需要漂亮衣服的少年走到机器旁边,一按机关,就得到了一套漂亮的衣服。他穿上衣服就去游山玩水了。

需要美味的食品的老爷爷,走到机器旁边,一按机关,就得到了一份美味食品,自己去享用了。

需要好玩儿的玩具的小妹妹,走到机器旁边,一按机关,就得到了好些玩具,自己去玩儿了。

随便什么人走到机器旁边,只要按一下机关,都能得到他们需要的东西。

地球上的人渐渐忘记了换东西用的钱,忘记了收藏东西用的箱子了。

富　翁

有一处地方，孩子还睡在摇篮里，长辈就要教训他们说："孩子，你们要克勤克俭过日子，专心一意想法子弄到钱。钱越多越好，装满你的钱袋，装满你的箱子，装满你的仓库，你就成为富翁了。世界上最尊贵的是富翁，他们有一切的权力。世界上最舒泰的也是富翁，他们什么事都不必做，需要什么，花钱去买就是了。孩子，你开头要勤俭，待你成了富翁，你就有福了！"凡是拿这一番话来教训孩子的，大家一致称赞，说是好长辈。

孩子们从开始啼哭开始吃奶的时候起就接受这样的教训，所以他们都信奉这样的教训，遵照教训实行得非常坚决，也非常顺当，就跟饿了一定要吃饭、渴了一定要喝水一样儿。所以在那个地方，富翁就非常之多。那些富翁回想起长辈的教训，觉得实在有道理，眼前的事实证明，一切权力都掌握在他们手里了：他们要又高又大的房子，自然有人来给他们造；他们想到哪儿去，自然有人抬着轿子、拉着车子把他们送去。他们什么事都不用做，只要花几个钱，想吃什么就吃什么，想穿什么就穿什么，想怎样玩儿就怎样玩儿。他们尊贵到极点，舒泰到极点，一天到晚嘻嘻哈哈，过着幸福的生活。他们聚集在一起，互相称作同伴。他们笑脸对着笑脸，笑口对着笑口，今天跳舞，明天聚餐，快乐得如痴如醉，时常齐声高唱快乐的歌：

哈哈哈，咱们都有钱！
哈哈哈，快活如神仙！
有钱什么不用干，
逍遥自在多清闲。
有钱什么都能买，
极乐世界在眼前。
咱们是富翁，咱们都有钱！
哈哈哈，咱们快活如神仙！

富翁什么事儿也不用干，他们要吃什么穿什么用什么，只要拿出钱去就成。生产那一切东西，自然都由还没有成为富翁的人担任。那些还没有成为富翁的人整天辛辛苦苦工作，他们望着富翁，羡慕得不得了。他们想："富翁的确尊贵，的确舒泰，我还得加倍努力，尽快赶上他们的地位！"他们躺在摇篮里的时候，长辈就是这样教训他们的。所以他们认为，富翁过的就是好日子，只有成了富翁，他们才能过上好日子。

有一天，一个石匠为了给富翁造房子，到山里去开石头，忽然发现了一个非常之大的宝库，有几百亩宽，几百丈深，全是黄澄澄的金子。他快活极了，心想这样的好运道竟让他给碰上了，谁能料到成为富翁就在今天！他赶紧跑回去，召唤全家老幼，力气大的挑箩筐，力气小的提篮子，一同到山里去采掘金子。从清早直忙到天黑，全家老小都累坏了，算一算挖到的金子，已经超过了最富的富翁。石匠心里想:“现在我是最富的富翁了。尊贵的舒泰的生活,从明天就要开始。明天我就不用做工了,好不快活!”

第二天,石匠不再去采掘金子,因为他已经成了第一富翁了。消息传到别人的耳朵里,谁不知道这是成为富翁的最便当的方法。于是大家都放下自己的工作,全都扶老携幼到山里去采掘金子。大家顾不得疲乏,直到挖到的金子超过了第一富翁才肯停手。大家都藏足了金子,都自以为是“第一富翁”,可是矿里的金子还只减少了十分之二三。

才几天工夫,那个地方的人都成了富翁。富翁照例用不着做工,这是何等幸福呀!可是从来没有见过的奇怪的事儿发生了。那些新成为富翁的人想:自己既然成了富翁,不可不买几身华丽的衣服,把自己打扮成富翁的样子。他们就带着满口袋的金子去服装铺买衣服。那些衣服是多么讲究呀,从前只能站在玻璃窗外边向里面看一两眼,如今可要迈着大步踱进去,随心所欲地挑选几身中意的绸袍缎褂,好不威风。他们越想越得意,谁知道走到服装铺门口,服装铺歇业了,不再出卖衣服了。原来服装铺的老板也挖到了不少金子,新近成了富翁。他一家老小都穿上了本来预备出卖的华丽衣服,正打算唤来一班轿夫,全家人坐了轿子,去剧场看戏呢。

成了富翁,买不着富翁穿的衣服,大家心里都很失望;一连走了几家服装铺,情形都一样,老板都成了富翁,不愿意再做生意了。富翁们想,服装铺全歇业了,买现成衣服是没有希望了,不如到纺织厂去,剪些称心如意的好料子,让裁缝连夜给做。他们就一同奔向纺织厂。谁知道纺织厂门前静悄悄的,看门的人不知道哪里去了,往日轰隆轰隆的机器声也听不见了。高大的烟囱,向来一口一口地喷出浓烟,把天空都染黑了;现在却可以望见明净的天空，烟囱口上还歇着无数麻雀。他们买不着料子，只好去找裁缝商量，请他帮忙想办法，只要弄得到华丽的衣服，不论要多少金子，他们都愿意出。裁缝笑着说："我跟你们一样，正想弄几身新衣服穿呢。至于金子，谁还稀罕它！我也成了富翁了，我的钱袋里箱子里仓库里，金子都装得满满的了。"

到这个时候他们才相信，华丽的衣服是穿不成了。成了富翁，不能打扮得像个富翁，心里当然不痛快。可是满钱袋满箱子满仓库都是黄澄澄的金子，看着也可爱，他们都安慰自己说："新衣服虽然穿不成，可是咱们有这么多金子，究竟都成为富翁了。"

他们完全没有料到，更加严重的恐慌跟着来到，使所有的富翁不但再也笑不出来，连哭也没有力气哭了。他们家里积蓄的粮食不久就吃完了，照过去的惯例，只要带着一口袋钱到粮食店去买就是了。谁知道竟然有这样意想不到的事儿，粮食店的老板正带着金子，也要到别处去购买粮食，因为他家的粮食也吃完了。大家说："咱们一块儿走吧。"可是走了好几家粮食店，情形都一样。结伴同行的越来越多，他们带着很重的金子，走到东又走到西，大家喘着气，浑身冒汗，衣服湿透了，还没找到一家开业的粮食店。

忽然有个富翁说："只有去找农夫！"大家听了好像大梦初醒，齐声喊起来："是呀，去找农夫！粮食是农夫种出来的，咱们去找农夫，才真正找到了根本上，一定可以买到粮食了。咱们去吧！咱们快去吧！"大家喊着，两条腿都使劲奔跑，因为他们都相信，找到了农夫，粮食就到手了。

他们跑到乡间，找着了农夫，就对他说："好农夫，我们要买粮食。不论多少金子，我们都愿意给，只要你说出个数目来。"

农夫笑了笑，摇摇头说："我跟你们一样，正要找农夫买粮食呢。我如今不是农夫了，不种粮食了。我也是富翁，我有的是金子！”

农夫说完，就跟着大家一同走。要买粮食的人越聚越多，他们来来回回好儿趟，仔仔细细地找，即使一根绣花针也该找到了，却找不到一个出卖粮食的农夫。

大家相信粮食是没有希望的了，不如去找点儿杂粮吧，肚子饿可不是玩的。他们就四散地向田间奔去。在田亩间，直立的是玉蜀黍秆，贴着地面蔓生的是甘薯，栽种得没有一点儿空隙。可是农夫都成了富翁，他们有的是金子，都预备过尊贵的舒泰的生活，已经有好些天没去浇水锄草除虫了，那些杂粮枯的枯，烂的烂，蛀的蛀，再也找不到一点儿新鲜的可以充饥的东西了。大家这才真的着急了，泪珠像雨一般地往下掉。然而摸着口袋里又硬又凉又光滑的金子，他们忍住眼泪，勉强笑了笑，互相安慰说：“虽然找不到粮食，虽然肚子饿得难受，但是咱们有的是金子，咱们到底都成了富翁了。”

所有的富翁都饿得不成样子了。他们头枕着装满金子的口袋，手里拿着小块的金子想送进嘴里去啃，可是他们全身一点劲儿也没有，再也不能动弹了。他们的喉咙里却还能发出又轻又细的蚊子般的声音，他们还在念诵自幼听惯的长辈的教训：“待你成了富翁，你就有福了！”

鲤鱼的遇险

清澈见底的小河是鲤鱼们的家。白天，金粉似的太阳光洒在河面上，又细又软的波纹好像一层薄薄的轻纱。在这层轻纱下面，鲤鱼们过着十分安逸的日子。夜晚，湛蓝的天空笼罩着河面，小河里的一切都睡着了。鲤鱼们也睡着了，连梦儿也十分甜蜜，有银盘似的月亮和宝石似的星星在天空里守着它们。

鲤鱼们从来没遇到过可怕的事儿，它们不懂得害怕，不懂得防备，不懂得逃避。它们慢慢地游来游去，非常轻松，非常快活。有时候大家争夺一片浮萍，都划动鳍，甩动尾巴往上蹿，抢着衔住浮萍，掉头往河底一钻；别的鲤鱼都头碰在一起，“泼剌”一声，河面上掀起一朵浪花。一会儿，声音息了，浪花散了，河面又恢复了平静。鲤鱼过的就是这样平静的生活。如果你站在岸上，一定不会觉察它们，就跟河里没有它们一样。

鲤鱼的好朋友是雪白的天鹅和五彩的鸳鸯。它们都能游水，像小船一样浮在河面上。每年秋天，它们从北方飞来，来到小河里探望鲤鱼们，把它们的有趣的旅行讲给鲤鱼们听。鲤鱼们把它们新学会的舞蹈演给天鹅和鸳鸯看。它们高兴极了，每天的生活都是新鲜的，都有非常浓的趣味。因此鲤鱼们都抱着一种信念：凡是太阳月亮和星星照到的地方，都跟它们的小河一样平静，都有要好的朋友，都有新鲜的生活，都充满着非常浓的趣味。

大鲤鱼把它的信念告诉小鲤鱼，鲤鱼哥哥也这样告诉鲤鱼弟弟，鲤鱼姊姊也这样告诉鲤鱼妹妹。大家都说："这话不错，咱们这条河的确如此。咱们这条河有太阳月亮星星照着，因而可以相信，凡是太阳月亮星星照到的地方，都跟咱们这条河一样。世界多么快活呀！咱们真幸福，生活在这样快活的世界上。"这几句话差不多成了鲤鱼赞美世界的歌儿了。每当太阳快落下去，微风轻轻吹过，河面上好像天国一般的时候；每当月亮才升起来，星星照耀，朦胧的夜色好像仙境一般的时候，鲤鱼们就唱起这首赞美的歌儿来，庆祝它们的幸福生活。

这一天跟平常没有什么两样，河面上来了一条小船。鲤鱼们一点儿不奇怪，常常有孩子们的游船在这里经过。那些男孩子女孩子看见了鲤鱼们，总要把美丽的小脸靠在船舷上，挥着小手招呼它们，带着笑说："鲤鱼们，快来快来，给你们馒头吃，给你们饼干吃。好吃的东西多着呢，鲤鱼们，快来快来！"鲤鱼们就游到水面上来，和男孩子女孩子一同玩儿。

鲤鱼们看到小船，以为孩子们又来了，照旧快快活活地游到水面上来。可是这一回，小船上没有男孩子也没有女孩子；摇橹的是一个从来没见过的人，船舷上歇着十几只黑色的鸬鹚，正仰起脑袋望天呢。鲤鱼们想，鸬鹚虽然不是老朋友，可是鸬鹚的同类——鸳鸯和天鹅都是我们最要好的朋友，咱们跟鸬鹚一定也可以成为朋友的；朋友们第一次经过这里，理当好好款待。

鲤鱼们这样想着，就用欢迎的口气说：“不相识的朋友们，你们难得到这里来，歇一会儿再走吧。我们跟天鹅和鸳鸯都是老朋友，我们相信，你们不久也会成为我们的老朋友的。未来的老朋友，请到水面上来谈谈心吧，不要老歇在船舷上。”鲤鱼的邀请是非常恳切的，它们都仰着脸，等候客人们下水。

船舷上的鸬鹚不再看天了。它们听见了鲤鱼们的邀请，向河里看了看，都扑着翅膀，“扑通……扑通……”跳下水来。看见鲤鱼，它们就一口衔住，跳上船去，吐在一只木桶里。十几只鸬鹚一忽儿上一忽儿下，小河上起了一阵从未有过的骚动。鲤鱼们才感到害怕，才没命地逃，才钻进河底的烂泥里。那些突然变脸的陌生客人，把它们吓得浑身发抖。

不一会儿，小船摇走了，水声跟着水花一同消失了。吓坏了的鲤鱼们才悄悄地从烂泥里游出来。小河恢复了往日的平静，但是恐惧和忧虑充满了鲤鱼们的心。看看许多同伴被那些突然变脸的陌生客人给劫走了，大家忍不住流泪了。陌生朋友还会再来，还会把同伴劫走，谁都处在危险之中，而且时刻处在危险之中。谁想得到这些天鹅和鸳鸯的同类竟是强盗。世界上竟有这样教人没法预料的事儿！鲤鱼们于是产生了一种新的信念：它们的小河现在变了，变得像地狱一样可怕。凡是太阳月亮和星星照到的地方，看起来虽然又平静又美丽，实际上都跟它们住的小河一样，都是可怕的地狱。

大鲤鱼把这个新的信念告诉小鲤鱼，鲤鱼哥哥也这样告诉鲤鱼弟弟，鲤鱼姊姊也是这样告诉鲤鱼妹妹。大家都说：“这话不错，咱们这条河现在变了。不然，咱们这样恳切地欢迎客人，怎么客人反倒把咱们的同伴劫走了呢！咱们这条河也变了，说不定别的地方早就变了，整个世界早就变了。咱们造了什么孽,碰上了这个可怕的时代!”这几句话差不多成了鲤鱼追念过去的美好生活的挽歌。

木桶里的鲤鱼们怎么样了呢?木桶里只有薄薄的一片水,鲤鱼们只能半边身子沾着水。它们被鸬鹚一口衔住就吓掉了魂,还不知道被扔进了木桶里。后来有几条醒过来了,觉得朝上的半边身子干得难受。它们只好用一只眼睛朝天看,看到的世界全变了样。它们划动鳍甩动尾巴,可是丝毫没有用,半边身子老贴着桶底。它们不知道今天怎么会弄成这个样子,也不知道如今到了什么地方。它们能看到的只是木板的墙,还有跟自己一样躺着没法动弹的同伴。它们互相问:“你知道吗,咱们如今在什么地方?”

大家的回答全一样:“我也不明白。我只看到木板的墙,只看到跟你一样动不了身子的同伴。”

“这真是个奇怪地方,”一条鲤鱼叹了口气说,“周围都是墙,又不给咱们足够的水。咱们连动一动身子也办不到,恐怕连性命都要保不住了。咱们再也回不了家,见不着咱们的同伴了。”

一条小鲤鱼闭了闭眼睛,它那只朝着天的眼睛又干又涩。它说:“我还想不清楚,咱们怎么会到这个奇怪的地方来的!咱们不是做梦吧?”

一条细长的鲤鱼用尾巴拍了拍桶底,用干渴得发沙的声音说:“我想起来了,你们难道都不记得了吗?咱们的小河上来了一条小船,船舷上歇着许多穿黑衣服的客人,跟天鹅和鸳鸯一样也长着翅膀。咱们不是还欢迎它们来着。它们就跳到水里来了。我分明记得一位客人看准我就是一口,后来怎么样,我就不清楚了。我想,一定是那些穿黑衣服的客人把咱们请到这儿来的。”

那条小鲤鱼接嘴说:“这样说来,咱们一定在做梦。天下哪会有这样的事儿,咱们欢迎客人,客人却把咱们送到这样的鬼地方来了。”

另外一条鲤鱼悲哀地说:“不管做梦不做梦,咱们现在都干得难受。要挪动一下身子吧,鳍和尾巴都不管用。咱们总得想个办法,来解除咱们的痛苦。”

鲤鱼们于是想起办法来。有的说:“只要打破这木板墙就成了!”有的说:“只要从河里打点儿水来就成了!”有的说:“咱们还是忍耐一下吧,痛苦也许就会过去。”办法提出了三个,可是三个办法都立刻让同伴们驳倒了。“身子都动弹不了,能打得破木板墙吗?”“打点儿水来固然好,可是谁去打呢?”“忍耐可不是办法。没有水,躺在这儿只有等死!”

大家再也想不出别的办法,只有躺着叹气,连划动鳍、甩动尾巴的力气也没有了。贴着桶底的那只眼睛只看见一片黑暗,朝天的那只只能看到可恶的木板墙和可怜的命运相同的同伴。它们又谈论起来:

“客人来到咱们家,咱们没有一次不是这样欢迎的。谁想得到这一回上了大当!”

“这不能怪咱们。那些穿黑衣服的强盗不是也长着翅膀吗?咱们以为它们跟天鹅、鸳鸯一样和善,一样会接受咱们的好意。谁知道它们竟这样坏!”

“把咱们留在这里,它们有什么好处呢?大家客客气气,亲亲热热,岂不好吗?”

“世界上会有这样的事,真是世界的耻辱!咱们先前赞美世界,说世界上充满了快乐。现在咱们懂得了，世界实在包含着悲哀和痛苦。咱们应当诅咒这个世界。”

“应当诅咒！不要说咱们只是小小的鲤鱼，不要说咱们的喉咙已经干得发沙了。咱们的声音一定能激励所有的狂风，把世界上的悲哀和痛苦一齐吹散。”

“对，对，咱们还有力气诅咒，咱们就诅咒吧！诅咒这木板墙，挡着咱们不让咱们看见外边的木板墙！诅咒那些穿黑衣服的强盗吧，不领受咱们的好意而欺骗咱们的强盗！咱们更要诅咒这个世界，诅咒这个有木板墙和黑衣服强盗的世界！”

它们一齐诅咒。诅咒的声音中含着叹息，含着极深的痛苦和悲哀。

不知过了多少时候，很奇怪，鲤鱼们的身上反而觉得潮润了点儿。难道那些强盗悔悟了，觉得自己做错了事，特地打了水来救助它们了？难道木板墙破了，外边的水渗进来了？大家正在议论纷纷，一条聪明的小鲤鱼看出来了。它说：“强盗怎么会来救助咱们呢？木板墙自己怎么会破呢？咱们还没干死，是咱们自己救了自己。大家没觉察吗，沾湿咱们的就是咱们自己的泪水呀！泪水从咱们的心底里，曲曲折折地流到咱们的眼睛里，一滴一滴流出来，千滴万滴，积在自己躺着的这个地方，沾湿了咱们的身子，挽救了咱们快要干死的性命！”

听小鲤鱼这样说，大家都立刻分辨出来了，沾湿自己身子的，确实是自己的泪水。大家心里都激动极了。它们想：在这个应当诅咒的世界里，居然能够靠自己的泪水来挽救自己，这就不能说在这个世界里已经没有快乐的幼芽了。这样一想，大家心就软了，泪水像泉水一样从它们的眼睛里涌出来。

说也奇怪，鲤鱼们可以活动了，本来只能侧着身子躺着，现在可以竖起身子来游了。木桶里的水越来越多，那水是从鲤鱼们心底里流出来的泪水。

鲤鱼们的泪水不停地流，流满了木桶；从木桶里溢出来，流到船舱里。不一会儿，船舱里的泪水也满了，木桶就浮了起来。小船稍稍一侧，木桶就氽到了小河上。

鲤鱼们有了水，起劲地游起来，可是游来游去，总让木板墙给挡住了。怎么办呢？有了水还得不到自由吗？一条鲤鱼使劲一跳，跳出了木板墙；四面一看，又细又软的波纹好像一层薄薄的轻纱，不就是可爱的家了吗？它快活极了，高兴地喊："你们跳呀，跳出可恶的木板墙就是咱们的家！我已经到了家了！"

大家听到呼唤，用尽所有的力气跳出了木板墙。木桶空了，浮在河面上不知漂到哪儿去了。

留在家里的鲤鱼们都来迎接受难的同伴，流下了许多激动的泪水。天鹅和鸳鸯恰好从北方飞来，好朋友相见，不免又流下了许多激动的泪水。所以小河永远没有干涸的日子。

眼　泪

在地球上，在太阳、月亮和星星照到的地方，有一个人无休无歇地在寻找一件丢失的东西。他各处地方都找遍了：草根底下，排水沟里，在马路上飞扬的尘土中，从各个方向吹来的风中，他全都找过，但是全都没有他要寻找的东西。他叹息了，比松林的叹息还要悲哀："我要寻找的东西在哪里呢？到底在哪里呢？"

快活人听见了，走过来问他："你丢失了珍珠吗？为什么在草根底下寻找？你丢失了水银吗？为什么在排水沟里寻找？你丢失了贵重的丹砂吗？为什么在尘土中寻找？你丢失了异国的香粉吗？为什么向风中寻找？"

他摇摇头，又叹了一口气说："都不是，我没丢失那些东西。"

"那么你一定是个傻子，"快活人满脸堆着笑说，"除了那些东西，还有什么值得寻找的呢？你还是早点儿回家休息吧，不要为无关紧要的东西白费精神了。"

他回答说："我要找的不是什么无关紧要的东西，跟你所说的那些东西都不能相比。我天天寻找，各处都找遍了，还没找到一点儿踪影。我告诉你吧，我要找的是眼泪！"

快活人听了大笑起来，笑声连续不断，好容易才忍住了对他说：“眼泪？为了寻找眼泪，你弄得这样苦恼。我是从来不流眼泪的，也不知道眼泪是从身体的哪个部分流出来的。可是我见过一些痴呆的人，他们的眼眶里曾经流出过眼泪。我可以告诉你，他们的眼泪滴在什么地方，好让你到那些地方去寻找。

“你要眼泪，可以到火车站到轮船码头去找。那些地方有许多男的女的老的少的，他们的心好像让什么给压着了。他们互相叮咛，话好像说不完似的，他们梦想每一秒钟都是无穷无尽的永久。他们手紧握着手，胳膊勾住胳膊，嘴唇凑着嘴唇，好像胶在一起，再也不能分开了。忽然‘呜呜——’汽笛叫了，叮咛被打断了，梦想被惊醒了，胶在一起的不得不分开了。他们的眼泪就像泉水一般涌出来。我看了觉得非常可笑。你只要到那些地方去找，准能找到他们的眼泪。”

“我要找的不是那种眼泪，”他回答说，“那种爱恋的眼泪既然流了那么多，要找就不难了。如果我要那种眼泪，早就到火车站和轮船码头去了。”

快活人点头说：“你不要那种眼泪，那还有别的，你可以到摇篮里或者母亲的怀里去找。那些婴儿真好玩极了：嫩红的脸蛋儿，淡黄的头发又细又软，乌黑的眼珠闪闪发亮……他们忽然‘哇……’地哭起来，一会儿又停住了。他们的眼泪虽然不及刚才说的那些人多，想来也可以满足你的要求了。你快去找吧。”

“我要找的也不是那种眼泪，”他回答说，“那种幼稚的眼泪差不多家家都有，没有什么难找的。如果我要那种眼泪，早就到摇篮里和母亲的怀里去找了。”

快活人说:“婴儿的你也不要,还有别的呢,你可以到戏院的舞台上去找。那里常常演一些悲剧给人们看,都根本没有那回事,编得又不合情理。演到女人死了丈夫,大将兵败自杀,或者男女相爱却不得不分离,演员们以为演到了最悲伤的时刻了,就大声哀号,或者低声啜泣。不管是真是假,他们既然哭了,我想多少总有几滴眼泪吧。你快到那里去找吧。”

“我要的更不是那种眼泪,”他回答说,“那种眼泪不是真诚的,而是虚假的。我要的眼泪,在戏院里是找不着的。”

快活人想不出话说了,睁大眼睛看了他好一会儿才问:“你究竟要哪一种眼泪呢?我相信除了我说的,更没有别的眼泪了。你知道世界上还有别的眼泪吗?”

他回答说:“有的,我确实知道世界上还有一种眼泪。那就是我要找的,同情的眼泪!”

快活人觉得奇怪极了,眯着眼睛想了一会儿,摇了摇头说:“这不可能,什么‘同情的眼泪’,我从来没听说过这个奇怪的名称。我想象不出谁会掉那种眼泪,也想象不出为什么要掉那种眼泪。你既然这样说,能不能把你知道的详详细细地告诉我呢?”

他说:“你愿意知道,我自然愿意告诉你。同情的眼泪是为别人的痛苦而掉的,并不是因为自己的愿望遭到了破灭;看别人受痛苦就像自己受到痛苦一样,眼泪就自然而然掉下来了,并不像婴儿那样无缘无故地啼哭。这种眼泪是十分真挚的,没有一丝一毫虚情假意。至于谁会掉这种同情的眼泪,我不知道。所以我走遍了各处地方,留心观察所有人的眼睛,看同情的眼泪到底丢失在哪里了。丢失的东西总可以找到的。所以我到处寻找,如果找到了就捡起来送还给他们。流这种眼泪的人，我相信一定有的，只是我还没遇到，所以我还不能休息，还要不停地寻找。”

快活人听了摇着头说：“我真的不明白，谁要是掉这样的眼泪，不是比我告诉你的那些人更痴更呆了吗？人是最最聪明的，绝不会痴呆到那种地步。我不信你的话。”

他很怜悯快活人，轻轻叹了口气，对快活人说：“你就是丢失了这种眼泪的人！请你跟我一同去寻找吧，也许碰巧能把你丢失的东西找回来，那该多好呀！”

快活人觉得很不中听，对他说：“我从来不掉眼泪，所以从来没丢失过眼泪。对于我来说，眼泪毫无用处。我不愿意跟着你去干这种毫无益处的事儿。再见吧，我要唱歌去了，跳舞去了，我要寻找的是快活！”

快活人转过身就走了，留下一串笑声，笑他愚蠢，笑他固执。

看着快活人越去越远，他又惋惜地叹了一口气，转身向人多的地方走去。

他来到一条马路边上。汽车呜呜地叫着，跑得比风还快。行路的人看前顾后，非常惊惶，只怕被汽车撞倒。运煤的大车慢吞吞的，拉车的骡子瘦得只剩下包在骨头上的一层皮，又脏又黑的毛全让汗水给沾湿了。它们好像就要跌倒了，还半闭着眼睛，一步挨一步地向前走。赶车的人脸上沾满了煤屑，眼睛仿佛睁不开似的，只露出红得可怕的嘴唇。人力车夫的胳膊像翅膀一般张开着，双手使劲按住车把，两条腿飞一样地奔跑，脚跟几乎踢着自己的屁股。风刮起一阵阵灰沙，扑向他们的鼻孔里、嘴里。他们呼呼地喘着气，好像拉风箱似的；浑身的汗哪有工夫揩，只好由它洒在路上。

他站在路边想，这里应当有同情的眼泪了。他仔细寻找，竟一滴也没找着。看那些行路的人，赶车的人，拉车的人，还有那骡子，他们的眼眶都不像掉过眼泪，甚至不像会掉眼泪似的。他失望了，离开了马路边上。

他来到一座会场门口。成千上万的人挨挨挤挤的，在那里等候一个人。他听旁边有人在谈论那个人的历史：那个人打过几回大仗，指挥他的军队杀死了无数敌兵，草地上，壕沟里，到处都是仰着的、趴着的尸体。房屋毁坏了，花园荒废了，学校里没有读书声了，工厂里没有机器声了，因为都遭到了那个人的炮火的轰击。男人们少了胳膊、断了腿；女人们有的伏在丈夫的坟上呼号，有的捧着儿子的照片哭泣……受的都是那个人的恩赐。现在仗打完了，那个人得胜归来，要从这里经过。

他站在门口想，这里应当有同情的眼泪了。正在这时候，那个人到了，所有的脸都现出异常敬慕的表情。大家跳跃起来，仿佛一群青蛙。欢呼的声音如同潮水一般，抛起来的帽子在空中飞舞。所有的人都如醉似狂，把那个人拥进会场。欢迎会就要开始，大家的脸上只有笑，只有兴奋，都不像掉过眼泪，甚至不像会掉眼泪似的。他失望了，离开了会场门口。

他来到一所大工厂里。无数男工女工在这里工作。机器的声音把他们的耳朵都震聋了，机油的气味塞满了他们的鼻孔。他们强打起精神，努力使自己的动作跟上机器的转动。他们的脸又白又瘦，跟死人差不了多少；有的趴在机器旁边，吃自己带来的粗劣的食物。几个女工对着食物发呆，她们正在想孩子留在家里不知哭成什么样儿了，忽然像从梦中惊觉似的，把食物草草吃完，又去做她们的工作。直到黄昏时分，工厂才放工。大街上很热闹，幸福的人正要去寻找各种娱乐。从工厂出来的工人夹杂在他们中间，显得很不和谐。

他跟着工人一路走一路想,这里应当有同情的眼泪了。大街上的人正同河水一样,一个人就像一滴水,加了进去就一同向前流,谁也顾不上谁,彼此并未察觉。他们的眼眶都像一向干涸的枯井,从来不曾掉过眼泪,也很难预料今后会不会掉眼泪。他又失望了,离开了灯火辉煌的大街。

在城市里,他找来找去没找着同情的眼泪,心里又忧愁又烦闷,也就没有了主意,随着两条腿来到了乡间。

有一所草屋,前面一片空地,长着四五棵杨树。明亮的阳光照在杨树上,使绿叶显得格外鲜嫩。这家农户大概有什么喜事,正在准备酒席。一个妇人正在杨树底下宰鸡。竹笼子里关着十来只鸡,妇人从竹笼中取出一只,左手握住鸡的翅膀和冠子,右手拔去它脖子上的羽毛,拿起一把刀就把鸡的脖子割破了。那鸡两只脚挺了挺,想挣脱,可是怎么挣得脱呢?鲜红的血从伤口流出来,流在一个碗里。等血流完,妇人就把它扔在一旁,它略微扭了几扭,就不再动弹了。妇人已经从竹笼中取出了第二只鸡,拔去了脖子上的羽毛。

正在这时候,草屋里冲出一个孩子来,红红的面庞,转动着一双乌黑的眼珠。他跑到妇人身旁,看看地上刚被杀死的鸡,看看竹笼里受惊的鸡,再看妇人手里,那把刀已经挨着鸡的脖子。孩子再也受不了了,一把拉住妇人拿着刀的右手,喉间迸出哭声,眼泪成串地往下掉,就像泉水一样。

寻找眼泪的人如同得到了宝贝一样,他高声喊起来:“我找着了,没想到竟在这里找着了!”他简直不敢相信,以为自己在梦中。可是这明明是真的眼泪,一颗一颗,仿佛明亮的珍珠。他走上前去,捧着双手,凑到孩子的眼睛跟前。不多一会儿,他的双手捧满了珍珠一般的眼泪。

他想:"许多人丢失的东西,现在让我给找着了。把这同情的眼泪送还给他们是我的责任。"

他第一个要找的就是快活人,因为快活人不相信自己丢失了这样宝贵的一件东西,所以要先给快活人送去。他还要走遍各处,把这件宝贵的礼物——把同情的眼泪送给所有的人。他大概就要来到读者跟前了,请你们做好准备,受领他的礼物吧。

画眉鸟

一个黄金的鸟笼里，养着一只画眉。明亮的阳光照在笼栏上，放出耀眼的光辉，赛过国王的宫殿。盛水的罐儿是碧玉做的，把里边的清水照得像雨后的荷塘。鸟食罐儿是玛瑙做的，颜色跟粟子一模一样。还有架在笼里的三根横棍，预备画眉站在上面的，是象牙做的。盖在顶上的笼罩，预备晚上罩在笼子外边的，是最细的丝织成的缎子做的。

那画眉，全身的羽毛油光光的，一根不缺，也没一根不顺溜。这是因为它吃得讲究，每天还要洗两回澡。它舒服极了，每逢吃饱了，洗干净了，就在笼子里跳来跳去。跳累了，就站在象牙的横棍上歇一会儿，或者这一根，或者那一根。这时候，它用嘴刷刷这根羽毛，刷刷那根羽毛，接着，抖一抖身子，拍一拍翅膀，很灵敏地四外看一看，就又跳来跳去了。

它叫的声音温柔，宛转，花样多，能让听的人听得出了神，像喝酒喝到半醉的样子。养它的是个阔公子哥儿，爱它简直爱得要命。它喝的水，哥儿要亲自到山泉那儿去取，并且要过滤。吃的粟子，哥儿要亲手拣，粒粒要肥要圆，并且要用水洗过。哥儿为什么要这样费心呢？为什么要给画眉预备这样华丽的笼子呢？因为哥儿爱听画眉唱歌，只要画眉一唱，哥儿就快活得没法说。

说到画眉呢，它也知道哥儿待它好，最爱听它唱歌，它就接连不断地唱歌给哥儿听，哪怕唱累了，还是唱。它不明白张开嘴叫几声有什么好听，猜不透哥儿是什么心。可是它知道，哥儿确是最爱听它唱，那就为哥儿唱吧。哥儿又常跟同伴的姊妹兄弟们说："我的画眉好极了，唱得太好听，你们来听听。"姊妹兄弟们来了，围着看，围着听，都很高兴，都说了很多赞美的话。画眉想："我实在觉不出来自己的叫声有什么好听，为什么他们也一样地爱听呢？"但是这些人是哥儿约来的，应酬不好，哥儿就要伤心，那就为哥儿唱吧。

日子一天天过去，它的生活总是照常，样样都很好。它接连不断地唱，为哥儿，为哥儿的姊妹兄弟们，不过始终不明白自己唱的有什么意义，有什么趣味。

画眉很纳闷，总想找个机会弄明白。有一天，哥儿给它加食添水，忘记关笼门，就走开了。画眉走到笼门，往外望一望，一跳，就跳到外边，又一飞，就飞到屋顶上。它四外看看，新奇，美丽。深蓝的天空，飘着小白帆似的云。葱绿的柳梢摇摇摆摆，不知谁家的院里，杏花开得像一团火。往远处看，山腰围着淡淡的烟，好像一个刚醒的人，还在睡眼蒙眬。它越看越高兴，由这边跳到那边，又由那边跳到这边，然后站住，又看了老半天。

它的心飘起来了，忘了鸟笼，也忘了以前的生活，一兴奋，就飞起来，开始它也不知道是往哪里的远方飞。它飞过绿的草原，飞过满盖黄沙的旷野，飞过波浪拍天的长江，飞过浊流滚滚的黄河，才想休息一会儿。它收拢翅膀，往下落，正好落在一个大城市的城楼上。下边是街市，行人，车马，拥拥挤挤，看得十分清楚。

稀奇的景象由远处过来了。街道上，一个人半躺在一个左右有两个轮子的木槽子里，另一个人在前边拉着飞跑。还不止一个，这一个刚过去，后边又过来一长串。画眉想："那些半躺在木槽子里的人大概没有腿吧？要不，为什么一定要旁人拉着才能走呢？"它就仔细看半躺在上边的人，原来下半身蒙着很精致的花毛毯，就在毛毯下边，露出擦得放光的最时兴的黑皮鞋。"那么，可见也是有腿了。为什么要别人拉着走呢？这样，一百个人里不就有五十个是废物了吗？"它越想越不明白。

"或者那些拉着别人跑的人以为这件事很有意思吧？"可是细看看又不对。那些人脸涨得通红，汗直往下滴，背上热气腾腾的，像刚揭开盖的蒸笼。身子斜向前，迈着大步，像正在逃命的鸵鸟，这只脚还没完全着地，那只脚早扔了出去。"为什么这样急呢？这是到哪里去呢？"画眉想不明白。这时候，它看见半躺在上边的人用手往左一指，前边跑的人就立刻一顿，接着身子一扭，轮子，槽子，连上边半躺着的人，就一齐往左一转，又一直往前跑。它明白了："原来飞跑的人是为别人跑。难怪他们没有笑容，也不唱赞美跑的歌，因为他们并不觉得跑是有意义有趣味的。"

它很烦闷，想起一个人当了别人的两条腿，心里不痛快，就很感慨地唱起来。它用歌声可怜那些不幸的人，可怜他们的劳力只为了一个别人，他们做的事没有一些儿意义，没有一些趣味。

它不忍再看那些不幸的人，想换个地方歇一会儿，一飞就飞到一座楼房的绿漆栏杆上。栏杆对面是一个大房间，隔着窗户往里看，许多阔气的人正围着桌子吃饭。桌上铺的布白得像雪。刀子，叉子，玻璃酒杯，大大小小的花瓷盘子,都放出晃眼的光。中间是一个大花瓶,里边插着各种颜色的鲜花。围着桌子的人呢,个个红光满面,眼眯着,正在品评酒的滋味。楼下传来声音。它赶紧往楼下看,情形完全变了;一条长木板上,刀旁边,一条没头没尾的鱼,一小堆切成丝的肉,几只去了壳的大虾,还有一些切得七零八碎的鸡鸭。木板旁边,水缸,脏水桶,盘、碗、碟、匙,各种瓶子,煤,劈柴,堆得乱七八糟,遍地都是。屋里有几个人,上身光着,满身油腻,正在弥漫的油烟和蒸汽里忙忙碌碌。一个人脸冲着火,用锅炒什么。油一下锅,锅边上就冒起一团火,把他的脸和胳膊烤得通红。菜炒好了,倒在花瓷盘子里,一个穿白衣服的人接过去,上楼去了。不一会儿,就由楼上传出欢笑的声音,刀子和叉子的光又在桌面上闪晃起来。

画眉就想:“楼下那些人大概是有病吧?要不,为什么一天到晚在火旁边烤着呢。他们站在那里忙忙碌碌,是因为觉得很有意义很有趣味吗?”可是细看看,都不大对。“要是受了寒,为什么不到家里蒙上被躺着?要是觉得有意义,有趣味,为什么脸上一点儿笑容也没有?菜做熟了为什么不自己吃?对了,他们是听了穿白衣服的人的吩咐,才皱着眉,慌手慌脚地洗这个炒那个的。他们忙碌,不是自己要这样,是因为别人要吃才这样。”

它很烦闷,想起一个人成了别人的做菜机器,心里不痛快,就很感慨地唱起来。它用歌声可怜那些不幸的人,可怜他们的劳力只为一些别人,他们做的事没有一些儿意义,没有一些儿趣味。

它不忍再看那些不幸的人,想换个地方歇一会儿,一展翅就飞起来。飞过一条弯弯曲曲的僻静的胡同,从那里悠悠荡荡地传出三弦和一个女孩子歌唱的声音。它收拢翅膀,落在一个屋顶上。屋顶上有个玻璃天窗,它从那里往下看，一把椅子，上边坐着个黑大汉，弹着三弦，一个十三四岁的女孩子站在旁边唱。它就想："这回可看到幸福的人了！他们正奏乐唱歌，当然知道音乐的趣味了。我倒要看看他们快乐到什么样子。"它就一面听，一面仔细看。

没想到完全不是那么回事，它又想错了。那个女孩子唱，越唱越紧，越唱越高，脸涨红了，拔那个顶高的声音的时候，眉皱了好几回，额上的青筋也涨粗了，胸一起一伏，几乎接不上气。调门好容易一点点地溜下来，可是唱词太繁杂，字像流水一样往外滚，连喘口气也为难，后来嗓子都有点儿哑了。三弦和歌唱的声音停住，那个黑大汉眉一皱，眼一瞪，大声说："唱成这样，凭什么跟人家要钱！再唱一遍！"女孩子低着头，眼里水汪汪的，又随着三弦的声音唱起来。这回像是更小心了，声音有些颤。

画眉这才明白了："原来她唱也是为别人。要是她可以自己作主张，她早就到房里去休息了。可是办不到，为了别人爱听，为了挣别人的钱，她不能不硬着头皮练习。那个弹三弦的人呢，也一样是为别人才弹，才逼着女孩子随着唱。什么意义，什么趣味，他们真是连做梦也没想到。"

它很烦闷，想起一个人成了别人的乐器，心里很不痛快，就感慨地唱起来。它用歌声可怜那些不幸的人，可怜他们的劳力只为一些别人，他们做的事没有一些儿意义，没有一些儿趣味。

画眉决定不回去了，虽然那个鸟笼华丽得像宫殿，它也不愿意再住在里边了。它觉悟了，因为见了许多不幸的人，知道自己以前的生活也是很可怜的。没意义的唱歌，没趣味的唱歌，本来是不必唱的。为什么要为哥儿唱，为哥儿的姊妹兄弟们唱呢？当初糊里糊涂的，以为这种生活还可以，现在见了那些跟自己一样可怜的人，就越想越伤心。它忍不住，哭了，眼泪滴滴答答的，简直成了特别爱感伤的杜鹃了。

它开始飞，往荒凉空旷的地方飞。晚上，它住在乱树林子里；白天，它高兴飞就飞，高兴唱就唱。饿了，就随便找些野草的果实吃。脏了，就到溪水里去洗澡。四外不再有笼子的栏杆围住它，它愿意怎么样就怎么样。有时候，它也遇见一些不幸的东西，它伤心，它就用歌声来破除愁闷。说也奇怪，这么一唱，心里就痛快了，愁闷像清晨的烟雾，一下子就散了。要是不唱，就憋得难受。从这以后，它知道什么是歌唱的意义和趣味了。

世界上，到处有不幸的东西，不幸的事儿——都市，山野，小屋子里，高楼大厦里。画眉有时候遇见，就免不了伤一回心，也就免不了很感慨地唱一回歌。它唱，是为自己，是为值得自己关心的一切不幸的东西，不幸的事儿。它永远不再为某一个人或某几个人的高兴而唱了。

画眉唱，它的歌声穿过云层，随着微风，在各处飘荡。工厂里的工人，田地上的农夫，织布的女人，奔跑的车夫，掉了牙的老牛，皮包骨的瘦马，场上表演的猴子，空中传信的鸽子……听见画眉的歌声，都心满意足，忘了身上的劳累，忘了心里的愁苦，一齐仰起头，嘴角上挂着微笑，说："歌声真好听！画眉真可爱！"

玫瑰和金鱼

含苞的玫瑰开放了，仿佛从睡梦中醒过来。她张开眼睛看自己，鲜红的衣服，嫩黄的胸饰，多么美丽。再看看周围，金色的暖和的阳光照出了一切东西的喜悦。柳枝迎风摇摆，是女郎在舞蹈。白云在蓝天里飘浮，是仙人的轻舟。黄莺哥在唱，唱春天的快乐。桃花妹在笑，笑春天的欢愉。凡是映到她眼睛里的，无不可爱，无不美好。

玫瑰回想她醒过来以前的情形：栽培她的是一位青年，碧绿的瓷盆是她的家。青年筛取匀净的泥土，垫在她的脚下；汲取清凉的泉水，让她喝个够。狂风的早晨，急雨的深夜，总把她搬到房里，放下竹帘护着她。风停了，雨过了，重新把她搬到院子里，让她在温暖的阳光下舒畅地呼吸清新的空气。想到这些，她非常感激那位青年。她像唱歌似的说："青年真爱我！青年真爱我！让我玩赏美丽的春景。我尝到的一切快乐，全是青年的赏赐。他不为别的，单只为爱我。"

老桑树在一旁听见了，叹口气说："小孩子，全不懂世事，在那里说痴话！"他脸上皱纹很深，还长着不少疙瘩，真是丑极了。玫瑰可不服他的话，她偏过脑袋，抿着嘴不作声。

老桑树用干枯的声音说："你是个小孩子，没有经过什么事情，难怪你不信我的话。我经历了许多世事。从我的经历，老实告诉你，你说的全是痴话。让我把我的故事讲给你听吧。我和你一样，受人家栽培，受人家灌溉。我抽出挺长的枝条，发出又肥又绿的叶子，在园林里也算是极快乐极得意的一个。照你的意思，人家这样爱护我，单只为了爱我。谁知道完全不对，人家并不曾爱我，只因为我的叶子有用，可以喂他们的蚕，所以他们肯那么费力。现在我老了，我的叶子又薄又小，他们用不着了，他们就不来理我了。小孩子，我告诉你，世界上没有不望报酬的赏赐，也没有单只为了爱的爱护。"

玫瑰依旧不相信，她想青年这样爱护她，总是单只为了爱她。她笑着回答老桑树说："老桑伯伯，你的遭遇的确可怜。幸而我遇到的青年不是这等负心的人，请你不必为我忧虑。"

老桑树见她终于不相信，也不再说什么。他身体微微地摇了几摇，表示他的愤慨。

水面的冰融解了。金鱼好像长久被关在屋子里，突然门窗大开，觉得异样地畅快。他游到水面上，穿过新绿的水草，越显得他色彩美丽。头顶上的树枝已经有些绿意了。吹来的风已经很柔和了。隔年的邻居，麻雀啦，燕子啦，已经叫得很热闹了。凡是映到他眼睛里的，无不可爱，无不美好。

金鱼回想他先前的生活：喂养他的是一位女郎；碧玉凿成的水缸是他的家。女郎剥着馒头的细屑喂他，还叫丫头捞了河里的小虫来喂他。夏天，阳光太强烈，就在缸面盖上竹帘，防他受热。秋天，寒冷的西风刮起来了，就在缸边护上稻草，防他受寒。女郎还时时在旁边守护着，不让猫儿吓他，不让老鹰欺侮他。想起这些，他非常感激那位女郎。他像唱歌似的说："女郎真爱我！女郎真爱我！使我生活非常舒适。我享受到的一切安乐，全是女郎的赏赐。她不为别的，单只为爱我。"

老母羊在一旁听见了，笑着说："小东西，全不懂世事，在那里说痴话！"她的瘦脸带着固有的笑容，全身的白毛脏得发黑了，还卷成了一团一团。金鱼可不甘心受她嘲笑。他眼睛突得更出了，瞪了老母羊两下。

老母羊发出带沙的声音，慈祥地说："你还是个小东西，事情经得太少了，难怪你不服气。我经历了许多世事。从我的经历，老实告诉你，你说的全是痴话。让我把我的故事讲给你听吧。我和你一样，受人家饲养，受人家爱护。我有过绿草平铺的院子，也有过暖和的清洁的屋子，在牧场上也算是极舒服极满意的一个。照你的意思，人家这样爱护我，单只为了爱我。谁知道完全不对！人家并不曾爱我，只因为我的乳汁有用，可以喂他们的孩子，所以他们肯那么费心。现在我老了，我没有乳汁供给他们的孩子了，他们就不管我了。小东西，我告诉你，世界上没有不望报酬的赏赐，也没有单只为了爱的爱护。"

金鱼依旧不领悟，眼睛还是瞪着，怒气没有全消。他想女郎这样爱护他，总是单只为了爱他。他很不高兴地回答老母羊说："老羊太太，你的遭遇的确可怜。但是世间的事情不是一个版子印出来的。幸而我遇到的女郎不是这等负心的人，请你不必为我忧虑。"

老母羊见他终于不领悟，就闭上了嘴。她鼻孔里吁吁地呼气，表示她的怜悯。

青年和女郎互相恋爱了，彼此占有了对方的心。他们俩每天午后在花园里见面，肩并肩坐在花坛旁边的一条凉椅上。甜蜜的话比鸟儿唱的还要好听，欢悦的笑容比夜晚的月亮还要好看。假若有一天不见面，大家好像失掉了灵魂，一切都不舒服。所以没有一天午后，花园里没有他们俩的踪影。

这一天早上，青年走到院子里，搔着脑袋只是凝想。他想："女郎这样爱我，这是可以欣慰的。要是能设法使她更加爱我，不是更好吗？知心的话差不多说完了，爱抚也不再有什么新鲜味儿，除了把我尽心栽培的东西送给她，再没有什么可靠的增进爱情的办法了。"他因此想到了玫瑰。他看玫瑰红得这样鲜艳，正配女郎的美丽的脸色；花瓣包着花蕊好像害羞似的，正配她的少女的情态。把玫瑰送给她，一定会使她十分喜欢，因而增进相爱的程度。他想定了，微笑着，对玫瑰点了点头。

玫瑰见青年这样，也笑着，对青年点了点头。她回过头来，看着老桑树，现出骄傲的神色，说："你没瞧见吗，他是这样地爱我，单只为了爱我！"

女郎这时候也起身了，她掠着蓬松的头发，倚着碧玉水缸只是沉思。她想："青年这样爱我，这是可以欣慰的。要是能设法使他更加爱我，不是更好吗？甜蜜的话差不多说完了，偎抱也不再有什么新鲜味儿，除了把我专心饲养的东西送给他，再没有什么可靠的增进爱情的办法了。"她因此想到了金鱼。她看金鱼活泼泼的，正像青年一样惹人喜欢。她想把金鱼送给他，一定会使他十分高兴；自己这样精心养护的金鱼，正可以表现自己的深情厚谊，因而增进相爱的程度。她想定了，将右手的小指含在嘴里，对着金鱼微微一笑。

金鱼见女郎这样，快乐得如梭子一般游来游去。

他抬起了头，望着老母羊，现出得意的神色，说："你没瞧见吗，她是这样地爱我，单只为了爱我！"

青年拿起一把剪刀，把玫瑰剪了下来，带到花园里去会见他的女郎。

女郎把金鱼捞了起来，盛在一个小玻璃缸里，带到花园里去会见她的青年。

他们俩见面了。青年举起手里的玫瑰，直举到女郎面前，笑着说："亲爱的，我送给你一朵可爱的花。这朵花是我一年的心力的成绩。愿你永远跟花一样美丽，愿你永远记着我的情意。"女郎也举起手里的玻璃缸，直举到青年面前，温柔地说："亲爱的，我送给你一尾可爱的小东西。这小东西是我朝夕爱护着的。愿你永远跟他一样的活泼，愿你永远记着我的情意。"

他们俩彼此交换了手里的东西。女郎吻着青年送给她的玫瑰，青年隔着玻璃缸吻着女郎送给他的金鱼，都说："这是心爱的人送给我的，吻着珍贵的礼物，就仿佛吻着心爱的人。"果然，他们俩的爱情又增进了一步。一样的一句平常说惯了的话，听着觉得格外新鲜，格外甜蜜；一样的一副平常见惯了的笑脸，对着觉得特别可爱，特别欢欣。他们不但互相占有了彼此的心，而且几乎融成一个心了。

玫瑰哪里料得到有这么一剪刀呢？突然一阵剧痛，使她周身麻木。等到她慢慢恢复知觉，已经在女郎的手里了。她回想刚才的遭遇，一缕悲哀钻心，几乎要哭出来。可是她觉得全身干燥，泪泉不知什么时候已经枯涸了。女郎回到屋里，把她插在一个玛瑙的花瓶里。她没有经过忧患，离开了家使她伤心，青年的爱落空了，叫她怎么忍受得了。她憔悴地低了头，不到晚上，她就死了。女郎说:“玫瑰干枯了,看着真叫人讨厌。明天下午,青年一定有更美丽的花送给我的。”她叫丫头把干枯的玫瑰扔在垃圾堆上。

金鱼也没有料得到有这么一番颠簸。从住惯了的碧玉缸中,随着水流进了一个狭窄不堪的玻璃缸里,他闷得发晕。等他神志渐渐清醒,看见青年的嘴唇正贴在玻璃缸外面。他想躲避,可是退向后,尾巴碰着了玻璃,转过身来,肚子又碰着了玻璃,竟动弹不得,只好抬起了头叹气。青年回到屋里,把玻璃缸摆在书桌上。金鱼是自在惯了,新居可这样狭窄,女郎的爱又落空了,叫他怎么忍受得了。他瞪着悲哀的眼睛只哈气,不到晚上,他就死了。青年说:“金鱼死了,把他扔了吧。明天下午,女郎一定有更可爱的东西送给我的。”青年就把死去的金鱼扔掉了,就扔在干枯的玫瑰旁边。

过了几天,玫瑰和金鱼都腐烂了,发出刺鼻的臭气。不论什么花,不论什么鱼,都是这样下场,值不得人们注意。青年和女郎当然不会注意,他们俩自有别的新鲜的礼物互相赠送,为了增进他们的爱情。

只有老桑树临风发出沙沙的声音,老母羊望着天空咩咩地长鸣,为玫瑰和金鱼唱悲哀的悼歌。

花园之外

春风来了，细细的柳丝上，不知从什么地方送来些嫩黄色。定睛看去，又说不定是嫩黄色，却有些绿的意思。他们的腰好软呀！轻风将他们的下梢一顺地托起，姿势齐整而好看。默默之间，又一齐垂下了，仿佛小女郎梳齐的头发。

两行柳树中间，横着一道溪水。不知由谁斟满了的，碧清的水面儿与岸相平。细的匀的皱纹好美丽呀！仿佛固定了的，看不出波纹推移的痕迹；柳树的倒影，清清楚楚，可以看见。岸滩纷纷披着绿草，正是小鱼们小虾们绝好的住宅。水和泥土的气息发散开来，使人一嗅到，便想起这是春天特有的气息。温和的阳光笼罩溪上，更使每一块石子、每一粒泥沙都有生活的欢乐。

溪旁的岸上，柳丝的底下，一顺着经过的是华丽的车辆：马拖着的，轮子着地丝毫没有声息，滑一般地过去。白铜的轮辐耀人眼睛；乌漆的车厢光亮到可以替代镜子；巨大的玻璃，明呀，明呀，明到说不出。人拖着的，一样地轻快非常。洁白的坐褥，花纹的车毯，玩具似的手揿的喇叭，色色都是精美不过的。还有仗机器力鼓励着的，仿佛神异的巨兽，极阔的身躯，睁圆的眼睛，滚一般地飞奔而来。刚到跟前，又滚一般地飞奔而去，小了，小了，不见了，却还隐隐听得他的奇怪的吼叫。

那些车辆里面，坐着满心装着快乐的人。快乐也有分量的，所以拖车的马出汗了，拖车的人气喘了，运车的机器也发出轧轧的疲倦的声音了。但是，坐着的人只顾怀着他们满心的快乐。他们将笑容向四周，欢愉的眼光看着柳绿，恬静的沉思对着溪水，又时时仰鼻吸气，尝尝芳春的滋味。于是，其中肥胖的先生们脸肉宽弛而抖动了；老太太们眼眶叠皱，干瘪无齿的嘴大张了；年轻女郎们手帕舞动，歌声徐发了；小儿们跳跃不歇，张臂欲下了。此时拖车的马出汗愈多，拖车的人气喘愈急，运车机器的轧轧声音也愈疲倦。

他们到什么地方去呢？溪水转折处，是一所花园。春风来了，睡着的园醒了。她那初醒而还带倦意的姿态，她那甘芳的新发的气息，她那小伴鸟儿们的低唱，都足以招引他们的踪影。况且他们是满心装着快乐的，知道她那里是快乐的银行，自然都向她奔了，犹如每一滴水总喜欢归到海里去。

长儿站在花园门口已经两三天了。他听了邻家伯母的讲述，猜想这花园里面一定是仙人的境界，要进去逛逛。他和父亲是不容易见面的，他起身的时候，父亲睡得正浓；等到同邻儿们玩了半天之后回家，父亲又不知去向了，直到他眼皮沉重时也不见回来。所以他只得向母亲说明。他母亲是给人家洗衣服的，大青布的围裙常常粘得全湿，十个指头黄黄地发肿。她听了长儿的话，便发怒道："花园！你配逛花园！"以下不说了，照常搓着手中的衣服，肥皂水刻刻飞溅开来。

长儿不敢再开口。可是，他实在不明白母亲的话，为什么他不配逛花园？谁才配逛花园？关于这些问题，邻家的伯母没有说及。除了邻家伯母，更没有懂得道理的人了，他这样想。他就默默地怀着这个疑惑，睡他的觉，做他的梦，以及……

他的脚下仿佛有魔法似的，不知不觉，将他的身体载到了花园门口。阔大似墙的门开着，望进去只见密密层层的葱葱绿绿的树。己身和树林的中间并没什么阻隔，也不见旁边有什么人或东西。他就奔进去，步子比平时的奔跑更高更快。

不知身体的哪一部分给什么东西绊住了！用力舞动也挣不脱，头脑却昏昏了。模糊地听得一个声音道："和谁一块儿的？"他才看清楚旁边站着一个大汉，自己的右肩膀给他抓住了。这是可怕的大汉，脸皮很粗糙，与橘皮相仿；鼻头和鼻的四周，红得像转了色的蜡烛；眼珠很大，瞳子的光正射着自己呢；右肩膀上那只手也大得厉害，右肩膀给他抓住了，仿佛捆上了几十道麻绳，紧胀得难受。

长儿心里恐吓，答不出话，只瞪着两只眼睛。那个大汉推动他的肩膀说："我问你，你和谁一块儿的？"长儿的喉间忽然润滑了，答语便漏了出来。"我和自己一块儿的。"这句话引得那大汉笑了，笑的面孔更加可怕，说道："既然一个人来的，买了票子再进去！"

"我不要买票子，我到园里去逛逛。"长儿说着，欲脱身就跑。那个大汉怒了，瞳子的光更为明亮，鼻头部分的红色也扩大了范围，大声喝道："小流氓！要想不出钱逛园吗！快与我滚开去，不用装什么假！"大汉说罢，就放手一推。长儿的身体摇摇地退了几步，终于站不住，一跤坐在地上，两手自然而然向后支撑着。这一来，引得门外的许多车夫狂醉一般地笑起来了。

长儿听见了多人的笑声，才看见花园门外有这么多的车辆，这么多的人。他觉得不好意思，慢慢地爬了起来，勉强微笑着，装作没事的样子。其实他正在留心许多人的眼光；到一个时候，他以为他们都不注意自己了，便飞快地溜走了。赶到家里，母亲依旧洗她的衣服，不问他什么。他也不向母亲说什么。

仙人境界似的花园总系着他的心。停不多时，他觉得家里没趣，又走出了门。任两条腿走去，偏偏不到平日捉迷藏的树林中，或者滚铁环的空场上，却又到了花园的门口。他有了先前的经验，不敢便奔进去。那个大汉又兀然地坐在门旁那所屋子里。他只在门外悄悄地走来走去，有时伏在歇着的人力车的背后，有时坐上了马车后面的小椅，有时竟大胆地在园旁张望。直到车辆的轮子转动，转得一轮也不留；暗黑隐没了园门，大汉的屋里放出一星的火光，他才回到家里。明天起来了，照常做他的功课，在园门外来去。

一辆马车在花园门外停了；那匹马立足未稳，向后挪了几挪。马夫跳下来，开了车厢的门，一位先生，一位夫人，扶了两个孩子走出来。长儿一眼注视着这两个孩子，更不见有其他的人。“他们穿着闪烁发光的过了膝的袜，阔而着地有声的鞋子。他们的面孔多红呀，头发多光呀。他们走进园门去了，一跳一跳地，多自由呀！大汉在哪里了？为什么不出来抓住他们？他们走近了密密层层葱葱绿绿的树林了，进去了……”长儿这么想着，很奇怪，觉得自己的身躯也走进了树林了。多么欢喜呵！想望了好久，此刻竟如愿了。他就在树荫下奔过去。

深的树林似乎没有尽头的，一棵一棵的树仿佛顶住了天的柱子。在树枝上面，有许多松鼠在跳跃往来；更有红脸的猴子坐在那里，挂在那里，正像演把戏的人所牵的一样。他更看见奇异的事情了，水果铺子里的红的黄的紫的种种东西，怎么都生在那些树枝上头！他便想，大约水果铺子里到这里来采的。现在何不也采些吃吃呢？正想举起手来，身体给一辆刚到的人力车一撞，他才醒觉了；原来他还站在园门口，没有走进花园。

他呆呆地看着四周，却没有看见什么。人力车第二回撞到他身上时，他不自主地偏过了一点。忽然眼前一耀，一件可爱的东西出现了。这是一束鲜红的花，从园门里出来，近了，近了，近到他的身边。花的一瓣瓣都在抖动；闻到一种说不出的香气。可是，霎时间就过去了，远了，不见了。他想："这是花园里顶好的东西，我要取得一点才好。刚才没有拉住了，真是可惜！不要紧，花园里的花多着呢。我采一束，供在母亲的床头。再采一束，预备演戏时扎在帽子旁边扮小英雄。更采一束，种在家的门口，让他永久开着……"很奇怪，他已在花园里的花圃旁边了。

红的花堆得山一般高，他眼里只看见红色。忽然花笑了，默默地对他笑。从笑着的花脸上，滴下一滴一滴香甜的水。流到地面，凝成红色的香糖。他舌根起了甘甜的感觉，想拾一些糖送到嘴里，却又是鲜红的果子，并不是香糖。他想果子也好，便拾了一满怀。更想花儿不可不采，又放下了果子采花。一枝半开的，正好插在母亲的床头，便采了。一枝细小的，正好扎在帽子旁边，便采了。一枝繁茂的，正好种在家的门口，也举起了手想采了；忽然给汽车的吼叫唤醒；原来他还站在园门口，没有走进花园。

这是何等的怅惘！香糖没有了，果子没有了，只有舌根的甘甜的感觉似乎还留着。他向园里望去，依旧只见密密层层葱葱绿绿的树林。树林的里面，音乐声透出来了。“鼓的声音，清脆而圆滚，喇叭的声音，仿佛水牛的长鸣，长笛的声音最尖锐，它似乎率领其他乐器的样子。还有敲击钢铁的声音。比铁铺子里的好听些。这大约是那些穿蓝衣的音乐队员吹奏给游客们听的。那个吹喇叭的，面孔一定涨得像河豚了。那个吹长笛的……”很奇怪，他觉得在园内的一个亭子旁边了。他就倚在栏杆上，欢欢喜喜地听着。

在亭子里面吹奏的，都穿着蓝色的衣服，胸前和肩臂绣着好看的花纹。乐器发出金色的光，将那些人耀得花花烂烂的。他们奏了一曲小调儿，又奏一曲时兴的山歌。忽然改奏戏腔了，正是庙场里听过惯的那几出。他跟着乐声唱着，乐声也凑着他的声调。“开步走，开步走！”音乐队在花园里的草路上走着，他领了头。他举起了手指挥他们转弯，身体给从花园里奔出来的两个孩子撞了个旋，他才醒觉了；原来他还站在园门口，没走进花园。

那两个就是先前进去的，他们游罢了花园出来了，手里各握着许多糖果。他们撞了长儿，好像没有这回事；很骄傲地跟着父母跨上马车，车轮便软软地转动了。

长儿怅怅地望着远去的马车，又回头看看园门以内。他似乎逛过花园了。但是，他终于没有知道这是怎样一个花园，虽然只隔一道围墙，而且园门还洞开着呢！

祥哥的胡琴

一条碧清的小溪边，有一所又小又破的屋子。墙壁早就穿了许多窟窿，风和太阳光月亮光可以从这些窟窿自由出进。柱子好像酥糖一样又粗又松，因为早有蛀虫在那里居住。铺在屋面上的稻草早成了灰白色，从各方吹来的风和从云端里落下来的雨，把原先的金黄色都洗掉了。屋子的倒影映在小溪里，快乐的鱼儿都可以看见。月明之夜，屋子的影子站在小溪边上，半夜醒来的小鸟儿都可以看见。

这所又小又破的屋子里，住着祥儿和他的母亲。祥儿的父亲临死的时候，什么事儿也没嘱咐，只指着挂在墙上的胡琴断断续续地说："阿祥，我没有什么可以传给你，只有这把胡琴。你收下吧！"祥儿不懂他父亲说这话是什么意思，他的母亲却伤心得哭不出声音来了。就在这时候，他的父亲咽气了。

这把胡琴是祥儿的父亲时常拉着玩的。本来青色的竹竿，因为手经常把握，变得红润了；涂松香的地方经常被弓摩擦，成了很深的沟；绷着的蛇皮也褪了色。繁星满天的夏天的夜晚，清风吹来的秋天的夜晚，他父亲就拿这把胡琴拉几支曲子。在种田累了的时候，在割草乏了的时候，他父亲也要拿这把胡琴拉几支曲子，正像别的农人在休息的时候一定要吸几筒旱烟一样。就是极冷的冬天，白雪像棉絮一般盖在屋面上，鸟儿们紧紧地挤成一团，也可以听见从屋子里传出来的胡琴的声音。

父亲的棺材被抬出去了，胡琴还挂在墙上。风从墙壁的窟窿吹进来，只见胡琴在轻轻地左右摇摆。阳光和月光射进来，胡琴的影子映在墙上，像一把舀水的勺子。祥儿看着觉得很有趣，胡琴好像充满了神秘的味道。

母亲织了一会儿草席，指着墙上的胡琴说："阿祥，爸爸把这东西传给了你，你要像爸爸一样会拉，我才喜欢呢！"祥儿不大明白母亲的话，只是对着墙上的胡琴发呆。吃饭的时候，母亲又指着墙上的胡琴说："阿祥，爸爸把这东西传给了你，你要像爸爸一样会拉，我才喜欢呢！"祥儿还是对着胡琴发呆。早上，祥儿在母亲的怀里醒来，母亲又教训他说："阿祥，爸爸把墙上那东西传给了你，你要像爸爸一样会拉，我才喜欢呢！"

直到祥儿满了四岁，母亲从墙上取下胡琴来，交在他手里。母亲说："现在你可以拉这个东西了。我希望听到你拉出好听的调子来，跟你爸爸拉的一样。"

祥儿双手握着胡琴。这是天天见面的老朋友，可是怎么拉法，他一点儿不懂。他移动了一下胡琴的弓，胡琴发出锯木头一般的声音。他把弓来回地拉，跟木匠师傅锯木头一样。母亲看着他，脸上现出笑容，她称赞说："我的儿子真聪明！"

拉动胡琴上的弓，成了祥儿每天的功课。他不但在家做这功课，走到小溪边，走到街道上，也一样做他的功课。打鱼的老汉正在溪边下网，讥笑他说："跟锯木头一样，拉得比你爸爸还好听呢！"蹲在埠头洗衣服的老太太也讥笑他说:“叫花子胡琴,也算接过了你爸爸的手艺吗?”街道上的孩子们追赶着他说:“难听死了,难听死了,不如把胡琴送给我们玩吧!”祥儿不管他们说些什么,只顾一边拉一边走。

祥儿走到没有人的地方,周围都是高山,山下都是树林,他拉动弓,自己听着胡琴发出来的声音,觉得很快活。忽然听到有个声音在唤他:“小弟弟,想拉好听的调子吗?我可以教你。”祥儿四面找,一个人也没有。是谁在说话呢?正在疑惑,那个声音又说:“小弟弟,我在这里。你低下头来就看见我了。”祥儿低下头看,原来是一道清澈的泉水,活泼泼地流着,奏着幽静的曲调。水底有许多五色的石子,又圆又光滑,可爱极了。

祥儿高兴地回答说:“泉水哥哥,你肯教我,我非常感激。”泉水说:“你听着我的曲调,把胡琴和着我的调子拉吧。”祥儿侧着耳朵听,很能懂得泉水用它的曲子讲的什么话,就拉动弓和着,胡琴不再发出锯木头的声音了。胡琴的声音紧跟着泉水的曲调,后来竟合成一体,分不出哪是泉水的,哪是胡琴的了。祥哥和泉水都高兴极了,只顾演奏,忘记了一切。后来泉水疲倦了,对祥儿说:“小弟弟,你拉得很好了。我想休息一会儿,明天再见吧。”泉水的调子越来越轻,最后它睡着了。祥儿离开了泉水,向前走去。

祥儿拉着新学会的曲调,引起周围的山都发出回声,成为很复杂的调子。他自己听着也很快活。忽然又听到有个声音在唤他:“小弟弟,还想学一种好听的调子吗?我可以教你。”他四面找,一个人也没有,难道泉水睡醒了,追上来了?正在疑惑,那个声音又说:“小弟弟,我在这里。你抬起头就看见我了。”祥儿抬起头看,原来是一阵纱一般的风,轻轻地吹着,唱着柔和的歌。小草们野花们都一边听一边点头。

祥儿高兴地回答说:“风哥哥,你肯教我,我非常感激。”风说:“你听着我的曲调,把胡琴和着我的调子拉吧。”祥儿侧着耳朵听,很能理解风用它的曲子说的什么话,就拉动弓和着,比任何人做任何事儿都用心。胡琴的声音紧跟着风的曲调,后来竟成了一体,分不出哪是风的,哪是胡琴的了。祥哥和风都很高兴,一会儿快,一会儿慢,一会儿高,一会儿低,只顾演奏。小草和野花都听得入了迷,好像喝醉了似的都垂下了头。后来风要走了,对祥儿说:“小弟弟,你又学会了一种好听的调子了。我现在要到别处去了,有机会再见吧。”风说完就飘走了。祥儿跟风告了别,又向前走去。

祥儿轮流拉着新学会的曲调,一会儿拉泉水的,一会儿拉风的,不知不觉走进了树林。拉泉水的调子,他就想起了活泼的泉水哥哥;拉风的调子,他就想起了轻柔的风哥哥。忽然又听到一个声音在唤他:“小弟弟,再多学一种好听的曲调,不是更好吗?我可以教你。”他四面找,一个人也没有。奇怪极了,除了泉水和风,又有谁自己愿意当他的音乐教师呢?正在疑惑,那个声音又说:“小弟弟,我在这里。你向绿叶深处仔细找,就看见我了。”祥儿向绿叶深处仔细找,原来是一只美丽的小鸟儿。小鸟儿机灵地从这根树枝飞到那根树枝,一边跳舞,一边唱着优美的曲调。绿叶围成的空间成了小鸟儿的舞台。

祥儿高兴地回答说:“小鸟儿哥哥,你肯教我,我非常感激。”小鸟儿说:“你听着我的曲调,把胡琴和着我的调子拉吧。”祥儿侧着耳朵听,很能理解小鸟儿用它的曲子说的什么话,就拉动弓和着。他的手腕越发灵活了,轻重快慢都能随他的心意。胡琴的声音紧跟着小鸟儿的曲调,后来竟合成一体,分不出哪是小鸟儿的，哪是胡琴的了。祥儿和小鸟儿都开心极了，大家眼睛对着眼睛，微微地笑了。后来小鸟儿唱得口都渴了，对祥儿说："你学会的好听的调子越来越多了。我现在渴了，要到溪边去喝点儿水，顺便洗个澡。咱们以后再见吧。"小鸟儿说完，就飞出树林去了。

祥儿的胡琴拉得越来越好，拉出来的调子越来越奇妙。他的调子不是泉水的，不是风的，也不是小鸟儿的，他把三种曲调融合在一起，产生了新的曲调，好像把几种颜色调和在一起，成了新的颜色一样。他常常去看泉水，看泉水睡醒了没有。泉水对他说："你的曲调比我的好听多了。拉一曲给我听，催我睡着吧！"他常常去看风，跟风谈心。风对他说："你的曲调胜过了我的。拉一曲给我听，让我高兴高兴吧！"他常常去看小鸟儿跳舞，听小鸟儿唱歌。小鸟儿对他说："现在你可以教我了。拉一曲给我听，让我学会你的新曲子吧。"祥儿听它们这样说，心里快乐极了，就尽量把自己新编的曲调拉给它们听。泉水听着，安静地睡着了；风听着，微微地笑了；小鸟儿一边听，一边跟他学。

祥儿跟大自然的一切做朋友，经常把自己编的曲调拉给它们听。它们个个欢喜祥儿，都把自己的曲调演奏给祥儿听。祥儿的胡琴变得越来越奇妙，他能拉许许多多自己编的新鲜曲子。母亲早就快活得不得了，她对祥儿说："你拉胡琴，拉得跟你爸爸一样好了。我非常欢喜。你可以带着爸爸传给你的胡琴，把你自己编的曲子，拉给世界上所有的人听了。"祥儿听母亲这样说，就带着胡琴，离开了小溪边的这所破屋子。

都市里有一所音乐厅，建筑十分华丽，台阶和柱子都是大理石的，舞台上有丝织的帷幕，有用鲜花做的屏障，还有许多金色的装饰品，教人看着眼睛发花。大音乐家都在这里演奏过；演奏的时候音乐厅里坐满了人，男的女的，神态都很高雅，服饰都很华贵。他们闭着眼睛，轻轻地点着头，表示只有他们能够欣赏这样高超的乐曲。一曲完了，他们拍起手掌，轻轻地，很沉着，表示他们从乐曲中得到了快乐。演奏的音乐家的名声就越发大了。

祥儿来到都市里，音乐厅也请他去拉胡琴。几天之前，街上已经贴满了彩画的大广告。广告上写着："奇妙的调子，新鲜的趣味，田野的音乐家。"这些字写得离奇古怪，格外引人注目。到了祥儿演奏的那一天，音乐厅里坐得满满的，自然都是经常来的老听客。他们都望着台上，张开了嘴，好像等着吃什么好东西似的。

祥儿走上台来了。他仍旧穿着他那半旧的青布衫，提着父亲传给他的那把胡琴。他向听众深深地鞠躬，听众们却在那里皱眉头。"咱们见过几百位上千位音乐家，哪里见过这样的乡下人！这把胡琴难看极了，就跟乞丐手里拿的一样。"听众们正在这样想，祥儿把弓拉动了，琴弦发出的声音在音乐厅中流动。大家开头还很安静，可以听得十分清楚。可是才一会儿，听众说起话来了，开头还很轻，后来越急越响，好像潮水似的。祥儿的胡琴拉得越急越响，嘈杂的人声紧紧追了上来，而且盖过了胡琴的声音。隐隐约约听得他们在说："从来没听过这样的曲子！""乏味透了！""不知从哪儿来的乞丐！""是个骗子！冒充音乐家的骗子！""把咱们的耳朵都弄脏了，非赶快回去洗一洗不可！"

听众们都站起来，纷纷走出音乐厅，都去洗他们的耳朵了。老绅士的胡子翘了起来，贵夫人搽着一层粉的脸也涨得通红，公子小姐都在喃喃地咒骂，表示无法忍住他们的愤怒。最后只剩下祥儿一个人站在台上。他再也拉不下去了，提着父亲传给他的那把胡琴，走出了音乐厅，回过头来，对这座大理石的建筑微微一笑。

祥儿回到小溪边，回到自己的又破又小的屋子里，母亲问他："我教你带爸爸传给你的胡琴，把你自己编的曲子拉给世界上所有的人听，你怎么这样快就回来了？"祥儿回答说："人家不要听我的曲子，所以我回来了。"母亲笑着，把他的脑袋搂在怀里，对他说："人家不要听你的，我要听。你不要再出去了，在家里拉给我听吧。听了你的胡琴，我织起草席来更有劲了。"母亲吻着祥儿的双颊，好像他还是个小娃娃。

胡琴的声音常常从又破又小的屋子里传出来。在繁星满天的夏夜，在清风吹来的秋晚，在白雪铺满大地的冬天，在到处开满鲜花的春朝，近的远的村落都可以听到胡琴的声音。泉水琤琤琮琮，风时徐时疾，小鸟儿啾啾唧唧，都跟胡琴的声音相和：田野就成了一个没有围墙的大音乐厅。

祥儿的胡琴带领大自然的一切奏起乐来，那美妙的声音，好像轻纱一般盖在人们的身上。又倦又乏的农夫恢复了精神，又困又累的磨坊工人又来了劲头，被火红的铁屑灼伤的小铁匠忘记了痛，死掉了儿子的老母亲得到了安慰……所有的人都感到甜美，感到舒适。他们异口同声地说："感谢祥哥的胡琴。"而这祥哥的胡琴，正是大理石音乐厅里的听众们所不愿意听的。

瞎子和聋子

一处地方住着两个残废的人。大家说他们俩很可怜，他们俩也自以为很可怜，一心想找一位医生给他们俩治疗。要是能遇见一位仙人，给他们俩吃几颗仙丹，一下子就把毛病治好了，那就更遂他们俩的心愿了。

他们俩一个是瞎子，一个是聋子。

瞎子从小就瞎了，没见过一丝儿光亮。妈妈怎样笑的，小猫小狗怎样跑的，月亮怎样明亮，花儿怎样鲜艳，他全不知道。他是原先有眼球后来瘪了的，还是原来就没有眼球的，大家没法知道；只见他两条眉毛底下乌溜溜的两个圆坑，陷得很深，要是他朝天躺着，可以倒两杯水在里头。

聋子从小就聋了，没听过一丝儿声音。妈妈哼的催眠曲，小朋友唱的儿歌，鸟儿怎样叫的，风怎样呼哨的，他全不知道。他的容貌同平常人一样，可是人家同他谈话，他就露出破绽来了。他看见人家的嘴朝着他动，就把耳朵凑过去，右边的耳朵听不见，转过头来用左边的耳朵听，还是听不见。这当儿他的嘴不自觉地张开了，眼梢起了无数皱纹，脸上似笑非笑的，显出一副尴尬模样。

瞎子听人家说，世间最可爱的是光亮；靠着光亮，人们可以看见种种可爱的事物。他十分羡慕有眼球的人,更加怨恨自己的残疾。他说:"我要是能看见一丝儿光亮,我就有福了。我听人说青蛙有眼睛,能看见妈妈和弟兄姊妹,又能看见天上的云和山上的树。又听人说飞蛾有眼睛,能在黑夜里找到路,飞向远处的灯光。我是世间最苦的一个了,不如一只青蛙、一只飞蛾。天啊,我能看见一丝儿光亮吗?"

聋子看人家常常侧着耳朵听,猜想世间最可爱的一定是声音;听到了声音,就是听到了一切事物发自心底的话。他十分羡慕耳朵不聋的人,更加怨恨自己的残疾。他说:"我要是能听见一丝儿声音,我就有福了。我料想蝴蝶能听见菜花在招呼他们,能听见蔷薇在轻轻地笑。又料想小鱼能听见小溪的独唱,能听见水草和浮萍的合奏。我是世间最苦的一个了,不如一只蝴蝶、一条小鱼。天啊,我能听见一丝儿声音吗?"聋子从小没听过别人说的话,他说话不是向别人学的,所以声音跟人家不同,粗心听只是"哑哑哑……"的,正像一个哑巴。

瞎子最细心,他听得见蜗牛的脚步声和蚂蚁的对话。聋子说话虽然极不清楚,瞎子却能听得明白。他竭力劝慰聋子,他认为耳朵聋算不得什么痛苦。跟聋子说话,用嘴是不成的,只有对他作手势才能使他明白。瞎子就作种种手势:他指指心头,把两手团紧,然后摇摇右手,表示"不要忧愁"。他指指耳朵,然后连连摇手,表示"耳朵聋无关紧要"。他指指鼻尖,又指指耳朵,同时点点头,表示"我能听见声音"。他用手指向四周指指点点,然后指指耳朵摇摇手,表示周围的声音并没有什么好听。他指指自己深陷的眼眶,又指指心头,然后把两手团紧,表示"我没有眼球,才是最伤心的事"。他用手向周围乱指,又指指自己的眼眶,摇摇手,然后把两只手掌摊向外边,表示

“一切事物都看不见，真教我痛苦失望”！

聋子看惯了人家的手势，瞎子的意思他全明白。他回答说：“你不必伤心，少了两个眼球有什么要紧？我是有眼球的，什么都能看见。但是这有什么好处呢？送到眼睛里来的都是些乱七八糟的事物。我想，声音是从一切事物的心底发出来的。我就是听不见声音，连自己说的话也听不见，怎么能叫我不伤心呢？”

瞎子听了，就作种种手势来回答，表示的意思是：“我以为光亮能照出一切东西的真相，我单单看不见光亮，连自己的手指头也看不见，怎么能教我不伤心呢？”

聋子说：“我要听见声音，并不稀罕什么光亮，偏偏耳朵聋了。你要看见光亮，并不稀罕什么声音，偏偏眼睛瞎了。假如把咱们俩的残疾对调一下，岂不是彼此都舒服，同平常人一样快乐了吗？”

瞎子听了连连点头，脸上现出笑意，双手合拢来，作出拜佛的样子，表示“假若办得到，真要念一声‘阿弥陀佛’了”。

聋子说：“只要咱们到处探访，总会如咱们的愿，找到对调的方法。咱们一同上路吧。”

瞎子点点头，就拉住聋子的手。他们俩商量停当，由聋子引路，牵着瞎子走；瞎子呢，把听到的一切做手势告诉聋子。

他们俩走到一位医生那里，同声说：“我们一个是聋子，一个是瞎子。现在打算对调一下：聋子愿意成为瞎子，瞎子愿意成为聋子。相信您一定能为我们尽力。我们的愿望如果能实现，我们一定真心诚意地感激您这位有本领的医生。”

医生摇摇头回答他们说：“我没有学过这样的本领，也没有听见过你们这样的请求。请你们去找别人吧。”

他们俩很失望，出了医生的家。门外有一个老太婆看着他们可怜，对他们说：“你们到这里来，找错人了。从这里往西，有一座树林，树林里有一所古寺，寺里住着一位老和尚。他很有些法术，或者能够答应你们的要求。你们去找他吧。”

他们俩听了很高兴，谢了老太婆，一直向西走。前面果然有一座树林，郁郁葱葱，似乎没有尽头。走进树林，果然有一所古寺，黄色的围墙已经转成灰色了。走进寺里，看见大殿里坐着一位老和尚，脸皱得像风干的枣子，胡子白得像雪。他们俩同声请求说：“我们一个是聋子，一个是瞎子。现在打算对调一下：聋子愿意成为瞎子，瞎子愿意成为聋子。相信您一定能为我们尽力。我们的愿望如果能实现，我们一定真心诚意地感激您这位大慈大悲的老和尚。”

老和尚也摇摇头回绝了。他说：“这不是一件容易的事儿。我的法术满足不了你们的要求。请你们回去吧。”

他们俩哪里肯走，只当老和尚不肯出力，仍旧苦苦哀求。老和尚很感动，和蔼地说：“我真干不了这个。我可以指点你们一个去处，能让你们的愿望得到实现。你们再往西走，走完树林有一个市集，市集的南头有一座古老的风车。那风车能够帮助你们，你们找他去吧。”

他们俩非常高兴，谢了老和尚，出了寺门再往西走，越走树林越密，一丝天光也漏不下来。瞎子不觉得什么，聋子可辛苦极了，他睁大了眼睛，一只手拉住瞎子，一只手摸索着前进，才不至于撞在树上。他们俩走呀走呀，走得浑身是汗，脚也痛了，才走出了树林。对调残疾的心是那样的殷切，所以他们一点儿不觉得痛苦。

树林尽头果然是个市集，市集南头果然有一座风车。风车的翼子很旧很旧了，沾满了尘土，还破了好几处。一阵风吹过，翼子懒懒地转动，好像一位只能勉强行动的老年人。

他们俩虔诚地同声请求说："我们一个是聋子，一个是瞎子。现在打算对调一下：聋子愿意成为瞎子，瞎子愿意成为聋子。相信您一定能给我们尽力。我们的愿望如果能实现，我们一定真心诚意地感激您，神异的老风车。"

风车一边转动，一边发出沙沙的声音，正像一台破旧的留声机。他说："你们的要求我可以照办，可是我要劝告你们，还是不要对调的好。无论什么人总觉得自己最苦，人家都比他快活。可是到了人家的境地，仍然觉得世界上最苦的是他自己。你们何必对调呢？"

瞎子用手势把风车的话告诉了聋子，他们俩随即同声说："我们一个听得见，可是不爱听，只巴望能看；一个看得见，可是不爱看，只巴望能听。我们确信我们巴望的是好的，对调之后绝不会反悔。你使我们眼睛瞎的能尝到看的滋味，耳朵聋的能尝到听的滋味，就是治好了我们的残疾，真是功德无量。请不要为我们顾虑，快给我们对调吧！"

风车哈哈大笑说："我好意关照你们，你们偏偏不信。要是我不给你们对调，好像我不肯帮助你们似的。可是我得说明在前，我只能给你们对调，可没有本领再调回来。如果对调之后你们觉得更不满意，又想调回来，我就不能帮助你们了。”

瞎子毅然回答说:“我的希望是看见光亮,光亮能照出一切事物的真相。只要能看见一丝儿光亮,我就有福了,哪儿会反悔呢?”

聋子也毅然回答说:“我的希望是听见声音,声音是从一切事物的心底发出来的。我只要能听见一丝儿声音,我就有福了,哪儿会反悔呢?”

风车把翼子顿了几顿,仿佛一位老人在点头。他说:“你们的意志非常坚决,我一定满足你们的请求。你们站得近一些,待我扇三下,你们就对调了。”

瞎子和聋子心里十分高兴,他们俩飞快地跑到风车跟前。“呼,呼,呼”,风车的翼子转了三下,他们俩立刻对调了。瞎子的眼眶里忽然突起两颗眼球,他只觉得一闪,描摹不来的一闪,他看得见光亮了,看得见一切事物了;同时,他再也听不见声音了。聋子的耳朵仿佛忽然打开了门,他只觉得一响,描摹不来的一响,他听得见声音了,听得见一切事物心底的话了;同时,他再也看不见光亮了。

从此以后,咱们为了说起来方便,就管原来的瞎子叫“新聋子”,管原来的聋子叫“新瞎子”。现在是新聋子牵着新瞎子,新瞎子做种种手势向新聋子示意了。他们俩跟风车道了谢,向市集走去。

说也奇怪,市集中的人好像都知道他们俩对调了,瞎子变成了聋子,聋子变成了瞎子。他们俩走到哪儿,哪儿就引起一阵纷扰。

新聋子看得见这些人的形状了,这在他是新鲜事儿,所以看得格外仔细。这些人对他们俩指指点点,脸上现出轻蔑的笑;嘴唇都在动,他虽然听不见,可是根据先前的经验,知道说的都是些嘲弄他们俩的话。他想:“没想到世界上有这样叫人受不了的笑容!他们这样笑,无非表示他们是健全的人,幸福的人,所以值得骄傲。难道我们这样的残废的人,不幸的人,就应该感到羞耻吗?看见这样的笑容真教我懊悔,尤其是我初有眼球就看见这样的笑容!”他拉着新瞎子就跑,只想赶快离开。

这时候,新瞎子已经听见这些人在说些什么了,这在他是新鲜事儿,所以听得格外用心。这些人用俏皮的声调取笑他们俩说:“真是奇闻,瞎子变成聋子,聋子变成瞎子,可是总逃不了是个残疾!你看,一个牵着一个,攒着眉头,侧着耳朵!多丑啊!”新瞎子虽然看不见这些人的表情,可是根据先前的经验,知道周围都是奚落的脸色。他想:“没想到世界上有这样教人受不了的话。他们这样说,无非表示他们是健全的人,幸福的人,所以值得骄傲。难道我们这样的残废的人,不幸的人,就应该感到羞耻吗?听见这样的话真教我懊悔,尤其是我刚能辨别声音就听见这样的话!”他推着新聋子,要他快点儿跑。

他们俩一个推一个拉,跑得马一样快。

一种疲劳到极点的声音使新瞎子停住了脚步。他听见有好多人在喘息,而且都是老年人。吁吁的呼气,好像一下一下地在挤许多已经破了的皮球,还夹着彼此响应的咳嗽声。他又听见沉重的脚步声,听见担子在晃动,听见有人在搬运砖瓦,但是都不及那喘息声刺耳,使得他浑身感到难受。他再不愿听见那种声音,但是他已经不是聋子了!

新瞎子一站住,新聋子也站住了。他看见许多老年人在一片尘土飞扬的砖瓦场上干活。他们挑着很重的砖瓦,背都弯得像个钩子;由于拼命使劲，枯瘦的脸涨成酱色，汗水满身，好像涂了油；脚几乎移不动了，挺一挺，抖几抖，才能向前移一步。这种景象使新聋子笼罩在悲哀的气氛中。他觉得新生的眼球有点儿潮润，他想这大概就是常听人家说的流起眼泪来了。一阵又酸又麻的感觉从他心里一直透到眼睛和鼻子之间，非常难受。他再不愿看见那种景象，但是他已经不是瞎子了！

结果还是一个拉着，一个推着，逃难似的跑开了。

新聋子失望地长叹一声说："我新得到的眼球已经看见了两种很不舒服的事物！"他问新瞎子："你的运气怎么样？可曾听见什么可爱的声音？"

新瞎子指指耳朵，伸出两个指头，皱着眉摇摇头，表示"自从打开了耳朵的锁，已经听见了两种不愉快的声音了"。

新聋子说："我早就告诉过你，世界上没有什么好听的声音。现在你相信了吗？"

新瞎子又作了几个手势，表示"我也早就告诉过你，世界上没有什么好看的事物。现在你相信了吗"？

"不要互相责备吧。咱们的快乐就在咱们的希望里边。咱们再往前走，希望你能听见可爱的声音，我能看见可爱的事物。"

听了新聋子的话，新瞎子点头赞成。他们俩又提起轻快的脚步向前走。

忽然一片可怕的红色把新聋子吓呆了。他辨不清是什么东西，只觉得自己心里的血就要从嘴里喷出来似的。他脑子里模模糊糊的，两只脚仿佛被钉住了，一点儿移动不得。等到稍稍清醒的时候，他才看清楚那是一头猪，侧躺在一条肮脏的板凳上，血正从它的胸口流出来。屠夫从它胸口拔出亮晃晃的尖刀。新聋子感觉浑身非常难受，好像有许多尖刀在刺他。又看见好些半爿的猪挂在一根横木上，猪嘴里的牙齿露在外边，好像要咬人的样子，眼睛半开半闭，似乎在那里偷偷地看人。新聋子害怕极了，脑子里又模糊起来。他双手掩住了眼睛大喊："我不要再看了！"

这时候，新瞎子突然听见一声惨叫，那声音尖锐极了，他感觉他的心好像中了一支冷箭似的。歇了一会儿，他听见一连串号哭似的声音，听着直觉得浑身发抖。接着，他又听见血喷出来的声音，血流到一个瓦钵里的声音。猪的叫声越来越微弱了，只剩下垂死的喘息了。新瞎子听得害怕极了，几乎吓破了胆。他双手掩住了耳朵大喊："我不要再听了！"

一个喊"不要再看"，一个喊"不要再听"，正在同一个时候。

听了新聋子的喊声，新瞎子就作手势把自己的心思告诉新聋子。

新聋子吃惊地说："你也不要再听了吗？那么，咱们不是就没有希望，得不到快乐了吗？"

新瞎子点点头，表示"的确是这样"。

他们俩凄惨地站在那里。新聋子掩住了刚能看见的眼睛，新瞎子掩住了刚能听见的耳朵。两个人都不敢放手，永远不敢放手，因为神异的风车不能帮助他们恢复原状了。

克宜的经历

克宜是农家的孩子。他帮助父母种田，举得起小小的锄头。他认识稻和麦的种类；辨得出泥和肥料的性质；什么鸟儿是帮助种田人捕捉害虫的，什么风是吹醒一切睡着的花草的，他统统都明白。朝晨起来工作，他和起早的太阳第一个招呼。晚上上床休息，温和地笑的月亮陪伴着他，轻轻地将柔美的梦覆盖他的周身。他没有不快乐的心思，也从不曾知道不快乐是什么滋味。

从都市里归来的农人告诉克宜的父母道："都市里边真快乐，一切生活的快乐，是我们所想不到的。这回去看了一趟，仿佛做了个美丽而缭乱的梦，竟讲不出怎样的快乐。但是，的确快乐极了。我们是老了，不一定要住在快乐的地方。我们的儿子年纪正青，不可不叫他们到那边去住住。不然，我们不将幸福指导给他们，实在觉得有些对不起。"

克宜的父母听说，心里很为感动，便向克宜说："邻家伯伯从都市里归来，说那边快乐到不可说。你是个年青的孩子，应当到那边去住住，享受些快乐。我们是心爱着你的，所以幸福在什么地方，总要指导给你。"

克宜很孝顺，父母的嘱咐他没有不听。这回父母要他到都市里去，他自然很顺从地答应了。

父母又说："既然你也很愿意去，你就放下手里的锄头，早些动身罢。"

克宜便放下锄头，辞别父母，离开自己的田亩。走了几步，觉得有些舍不得，重又回了转来。和田里种着的东西说了些离别的话，又和鸟儿合唱了几支离别的歌。向风说："你不怕远行，送我一程罢！"向太阳说："隔几时再给你请晨安罢！你归去的时候，遇见月亮，请叮嘱她，不要过分记念着我，至于伤心呵！"一一都分别过了，他再回身向前走去。风依从他的话，跟随在他的背后，一阵阵带些田野的花香过来，使他觉得似乎还在田里工作呢。

他走了一程，觉得有点疲倦了，就坐在一棵大树下休息。风还是带着花香吹来，他渐渐地蒙眬了。忽然一种轻微而急迫的干脆的扑翅声，惊醒了他，听去知在顶上。抬头看时，原来是一只蜻蜓，飞错了路，给蜘蛛网网住了。仔细地听，那蜻蜓正在哀求他的帮助呢。"仁善的年青人，你救了我罢！我被拘在这里半天了，再不想法逃脱，那坐在中央的魔王要开宴吃我了。仁善的年青人，只要你一举手，我就有了命。快救了我罢！"

克宜听了，很觉得可怜。就拾起一根掉在地上的小树枝，举起来轻轻一拨，那蜻蜓就脱离了网罗。那蜻蜓拿出一个小圆筒似的镜子，给他说："这个镜子同我们蜻蜓的眼睛一样，可以看见人的眼睛所看不见的事物。你若要知道一切事物将来的情形，用它一照就是了。因为你救了我的性命，所以将这宝贝的镜子报答你。"那蜻蜓说罢，振动着膜翅飞去了。

克宜藏好了镜子，不再休息，站起来重又前进。一口气跑进都市，就在一家店铺里当一个徒弟。

他在那里认识了许多东西，都是以前所不曾见过的。一个长方的匣子，里面有几支针儿，自己会转动，隔一会儿又自然发出钟声来；他听人说这个叫作“钟”。又听人说敲五下六下的时候是朝晨，晚上敲十二下一下的时候是黄昏。许多不用添油、不用点火的灯，垂垂地挂着，他听人说，这些叫作“电灯”，到晚自然会得燃，到晓自然会得熄的。街上一个人坐在一件东西上，这东西有两根长柄，由一个人拖着飞跑，他知道这叫作“人力车”了。一个矮而阔的怪物，到晚他的巨大的眼睛里放出耀眼的光，载着几个人飞驰而过，他知道这叫作“摩托车”了。一所玻璃的小屋子，里面挤满了人，不用人拖，不用牛挽，却也能跑得同矮而阔的怪物一样的快，他知道这叫作“电车”了。

但是他看不见他的老朋友。田里种着的东西，有香气的泥土，飞鸣的鸟儿，带着花香的风，在那里统都找不到。他虽然觉得新鲜的东西很有趣，也切挚地牵记着那些老朋友。

明天他从床上醒转来了。平日的习惯，张开眼睛时总是很明亮的。现在为什么只是漆黑！天没有亮吗？醒得太早了吗？疑惑至极，走到窗边向外望去，街上也非常黯淡；电灯还没有熄，放出惨然的光。他以为天真个没有亮呢。可是，钟声敲动了，一下，两下，……六下，这不明明是朝晨了吗？

朝晨的太阳哪里去了？为什么不出来和自己招呼呢？起来了须得做事，现在做什么事呢？这时候，他感觉给一种不可堪的沉闷压迫着，很不爽快。但是黑暗包围着他，他哪里能够打破包围，取得爽快呢？

他要漱口，不知水在哪里。他要洗脸，又不知面盆和毛巾在哪里。只得默默地坐在大海似的黑暗之中，细细地辨那刚尝到的不快乐的滋味。钟声敲七下了，又敲八下了，才有些淡淡的光从窗里透进来。一切全都沉寂，只听见那个钟“滴答滴答”的声音。他想，在家的时候，此刻已满耳的高兴的声音了。晨间的微风在林中和田里和水边低唱着，鸟儿个个作迎接太阳的颂歌，农作的同伴互相问答，间着水车的声音，锄头着地的声音。村里的鸡接连着啼个不休，工作的牛也偶然向天长鸣一声。他想起了这些，实在耐不住这里的寂寞，里边外边，一齐凄静，有点像坟墓的样子。无可奈何，才取出蜻蜓赠给他的镜子来玩弄，看看究竟有怎样的神异。

他拿那镜子在手，一面看见了先生和同学们的床榻，他们的帐子都掩着，大概还没有做完他们的梦呢。他想用那镜子照着他们，看现出什么形象来，倒也有趣。便揭开一位先生的帐子，将镜子放到眼边照看。怕极了！怕极了！只见那位先生瘦得只剩皮包着的骨头；脸上全没血色，灰白到足以惊怕。这不是和死人一样吗？他不敢再看，便放下了帐子。但是他好奇心很盛，心想照看别一个人，或者有些好看的形象。他就拣一个肥胖的同学，揭开他的帐子，举起镜子来照看。怕极了！怕极了！只见那个同学瘦得只剩皮包着的骨头；脸上全没血色，灰白到足以惊怕。这不是和死人一样吗？他不敢再看，也就放下了帐子。

好奇心驱遣着他，将睡着的人一一照看过；都因不敢再看，就将帐子放下。他想："这里不是妥当的地方，我明明看见他们的将来的形象了，还是早早离开的好。"于是离开了那家店铺，投入一个医院里，当一名练习生。

他在那里才看见了害病的人，嗅到了药水的气味，那一夜他当值，被派在一间病室里任看护。室内有八个卧榻，都躺着病人。夜已经很深了，钟已经敲过了一下，窗外只有些树叶吹动的声音，轻悄到可怕。室内充满着病人的痛苦的呻吟：有骤然喊叫的，有延长而颤抖的，有无力而低唤的，有连呼母亲的；可是绝对没有安慰他们、答应他们的一些声音。他听着，心里起一种异样的感觉，从没有经历过的凄惨将他兜住了。

他听医院里的人说，这间病室里八个病人，四个是从电车上掉下而受伤的，两个是坐摩托车不当心，和别的车辆相撞，而受伤的。其中一个受伤最重的，腿骨已经断了，由医生给他接好，用木板绑着，固定在一个很重的架子上，防他因痛苦而牵动，致脱了接榫。连连呼“妈，来罢！妈，来罢！”的，正就是这个人。

他耐不住这种凄惨的声音和景象，便又取出蜻蜓赠他的神异的镜子来玩弄，希望移开心思，不去注意那些。电灯光照得室内惨白，固然很可以照看，但是照看什么东西呢？所有的只是这八个病人。他只得举起镜子，照看这些病人。奇怪极了！奇怪极了！他们的腿和脚都有点异样，又细，又小，正像鸡的腿脚。放下镜子看时，又和平常人差不多。

疑怪的心使他添了些闷损。后来医生来检查病人了。几个助手也跟了进来。他想他们都是健全的人，照看起来，谅来不至于有什么变化，便私下里取出镜子来照看。太奇怪了！太奇怪了！他们的腿脚又细又小，正像鸡的腿脚，和八个病人毫无二致。他想：“这里不是妥当的地方，我明明看见他们的将来的腿脚了。还是早早离开的好。”于是离开了这个医院，投入一个戏院里，当一个职员。

夜戏开幕了，繁响的音乐，刺耳的歌唱，他听了觉得脑子里有些岑岑的感觉。可是，满院坐着的客人正看得起劲，个个现出高贵的笑容。男的吸着烟卷，女的扬着香水蘸透的手巾，也有吃东西的，闲谈的，一一表示出他们的舒适和闲雅。伶人唱了一段，他们随着喝一阵彩，告诉人家，我们是能够欣赏的。

他听着一阵阵的喝彩，耳朵里不大舒服；嗅着人气和烟和粉香混合的气味，鼻管里又有点难受。他的身体似乎飘浮了，手心额角有点焦热。心想："在此地太累了，不如取出神异的玩意儿来开开心罢。"便取出蜻蜓赠他的镜子，举起来向大众照看。

奇怪的景象在镜里显现了：那些客人个个只剩皮包着的骨头；脸上全没血色，灰白到足以惊怕；和店铺里所见几个人一样。也个个是又细又小的腿脚，正像鸡的腿脚；和医院里所见几个人一样。他们不能行走，不能劳动，得不到一切吃用的东西，只得在那里等死。

放下镜子看时，依然是满院高贵的舒适的闲雅的客人。

他不敢再看，立刻转身，奔出了这个戏院。心里想："我还不回去做什么？明明看见了这里的人众将来的命运了！"便连夜向自己的家乡奔去，也不管路途上的黑暗。

天刚亮时，他已到了自己的田旁。晨风轻轻地吹动，带着新鲜的草气。他欢呼道："风，我的好朋友，你送我动身，又迎我回家了。"太阳从很远的地平线上露出第一缕的光芒，使一切都含生意。他又欢呼道："太阳，我的好朋友，此刻又给你请晨安了！月亮好吗？她昨夜曾向你说起我吗？"鸟儿们早已唱得很热闹了。他又欢呼道："鸟儿们，我的好朋友们，你们唱，我又要加入你们的队里了。"田里种着的东西齐向他点头。他感激到流泪，欢喜到说不成话，只喃喃道："我的宝贝……我的宝贝……"

正要向家中走去时，忽然想起了神异的玩意儿，何不在此地取出来照看一回。便取出镜子，举起来照看。他快乐得只是大叫：

"将来的田野，美丽而有趣，竟到这个地步吗！"

跛乞丐

街上那个跛乞丐，我们天天看见的，年纪已经很老了。蓬乱的苍白的头发盖没了额角和眉毛；两颗眼珠藏在低陷的眼眶里，放出暗淡的光；脸上的皮肤皱得厉害，颜色跟古铜一样。从破烂的衣领里，可以看见他的项颈，脉络突出，很像古老的柏树干。他的左脚老是蜷曲着，不能着地，靠一根树枝挟在左胳肢窝里，才撑住了身子，不至于跌倒。

他在街上经过，站在每家人家每家铺子的门前，发出可怜的沙哑的声音："叨光一个吧，好心的先生太太们！"人们总是用很厌烦的口气说："又来了，讨厌的老乞丐！"随手将一个小钱很不愿意地掷给他。小钱有时落在砖缝里，有时掉在阴沟边。他弯下了身子，张大了眼睛，寻找那跳跃出来的小钱。好久好久，捡到了，他就换过一家，重新发出可怜的沙哑的声音："叨光一个吧，好心的先生太太们！"

独有街上的孩子们很喜欢他。他能够讲很多的有趣的故事，使他们不想踢毽子，不想捉迷藏，不想做一切别的玩意儿，只满心欢喜地看着他封满胡子的嘴，等候里边显现出美妙的境界和神奇的人物来。每当太阳快要下去月亮快要上来的时候，他总坐在一棵大榆树底下休息。不必摇铃，不必打钟,街上的孩子们自然会聚集拢来,围在他的身边。于是他开始讲故事了。

跛乞丐讲的故事,孩子们都记得很熟。关于他自己的故事,就是左脚为什么跛了,他也讲给孩子们听过。以下就是孩子们转讲给我的。

他的父亲是个棺材匠。他十三四岁的时候,父亲对他说:“你的年纪渐渐地大了,不可不会一点职业。我看就学了我的本业,将来也当一个棺材匠吧。”

“不,不行。”他回答道,“我看见街上抬过棺材,人家总要吐一口唾沫。人家都不喜欢棺材这个东西。我要是当了棺材匠,不就得一生陪着棺材挨骂吗?所以我不愿意。”

父亲大怒道:“你敢违抗我的话!我就是棺材匠,几时看见人家骂我讨厌我?”

“我,我就讨厌你,就要骂你。好好一个人,不做别的东西,去做一个个木匣子,把人一个个装在里边!”

父亲怒到极点,举起手里的斧头就向他的头上劈过来。幸亏他双手灵活,抢住了斧头的柄,嘴里喊道:“不要像劈木头一样劈你的儿子!我不是木头呀!”

父亲的手被挡住,狠劲也过去了,就说:“饶了你这条小命吧!可是,你不肯继承我的本业,也就不是我的儿子。今天就离开这里,不许你再跨进我的大门!”

他从此被赶出家门了。肚子渐渐有点饿了,他想,现在必须找一个职业了。但是做什么呢?一时拿不定主意。他就沿着街道走去,看有什么愿意做的事情。

有个孩子趴在楼窗上，望着街那头的太阳，天真地说："这是时候了，爸爸的心，爸爸的信，该在绿衣人的背包里吧。安慰人们的绿衣人呀，你快快来到我家的门前吧！"

他听了孩子的话，深深地点点头，仍旧朝前走去。

矮矮的竹篱内有一间书房，窗正开着。有个青年坐在里边，伏在桌子上写东西，忽然抬起头看看墙上的钟，满怀希望地说："这是时候了，朋友的心，朋友的信，该在绿衣人的背包里吧。安慰人们的绿衣人呀，你快快来到我的竹篱外边吧！"

他听了青年的话，更深深地点点头，仍旧朝前走去。

路旁是一个公园，有个女郎坐在凉椅上，对着花坛里的花出神。树上的鸟儿一阵叫，把她惊醒了。她四周望望，自言自语说："这是时候了，他的心，他的信，该在绿衣人的背包里吧。安慰人们的绿衣人呀，你快快来到我的家里吧！"她站起来，匆匆地走了。看她步子这样轻快，知道她的希望正火一般地燃烧呢。

听了女郎的话，他很高兴地拍着手道："我已经选定了我的职业了！"

他奔到邮政局里，自称愿意当一个绿衣人。邮政局里允许了，给他一身绿衣服和一个绿背包。他穿上绿衣服，背上了绿背包，就跟每个在街上看见的绿衣人一模一样了。

他当绿衣人比别人走得快。他取了信连忙向背包里塞，背包胀得鼓鼓的，像胖子的肚子。他拔脚就跑，将每封信送到等候信的人的手里，还恳切地说："你的安慰来了，你的希望来了，快拆开来看吧！"说罢，他又急忙跑到第二个等候信的人的面前。

人们都非常欢喜他。从他手里接到信，除了信里的安慰，还先从他的话里得到安慰。所以人们只希望接到他送来的信。人们又想，发出去的信由他投送，收信的人一样可以得到分外的安慰，所以都愿意把信交到他的手里。

他的背包跟不断打气的气球一样，越来越鼓了。别的绿衣人的背包跟乞丐的肚子一样，越来越瘪了。他背着沉重的背包，羊一般地飞跑，不怕疲倦，也不想休息。

街旁有一所屋子，藤萝挂满了门框，好像个仙人住的山洞。他每回经过这家门前，总见一个姑娘站在那里，忧愁地问他："你的背包里可有他的心？"他很不安地回答说："很抱歉，没有他的信。"姑娘两手掩着脸，伤心地哭了。

姑娘盼望的是她情人的信，也是她情人的心。情人离开了她，去到什么地方，她不知道，也没有来过一封信。她天天在门前等着，等候这可爱的绿衣人经过。可是她终于伤心地哭了，两手掩着脸。

这一天他经过这家门前，姑娘照旧悲哀地问他。他又只好回答："很抱歉，没有他的信。"姑娘好像要晕过去了，哭得只是呜咽。停了一会，才断断续续地说："三年前的今天，他离开了我。整整的三年，没有一点信息，不知道他的心在哪里了！"说罢，更加呜咽不止。

他听了非常难过，就安慰姑娘说："你不要哭，滴干了眼泪是不好的。我一定替你去找寻，把你要的他的心带给你。三天，不出三天！"

姑娘止住了啼哭，向他点点头表示感激，含着泪水的眼睛放出希望的光。

他就日夜不停地走，穿过了白天不见太阳、夜晚不见月亮的树林，经过了没有水也没有草的沙漠，爬过了有毒蛇猛兽的峻峭的山岭，才找到了姑娘的情人所在的地方。他告诉姑娘的情人，姑娘怎样地思念，怎样地哀伤，怎样地啼哭。姑娘的情人被感动了，立刻写了一封很长的信，极真挚的信，把整个心藏在里边了。写好之后，就交给他，托他送给那个姑娘。

他拿了信，爬过了有毒蛇猛兽的峻峭的山岭，经过了没有水也没有草的沙漠，穿过了白天不见太阳、夜晚不见月亮的树林，来到姑娘的门前——来回刚好是三天工夫。

姑娘已经在门前等候，看见了他连忙问："我要的心，我要的心呢？"他不作声，就把信交给姑娘。姑娘马上拆开来看，越看越露出笑容，看到末了就快乐地说："他爱我，他依然爱我呢！可爱的绿衣人，多谢你的帮助！"

"这算得什么呢？只要你得到安慰，我什么都愿意的。"他高兴地回答。

他回到邮政局里。邮政局里因为他三天没有到差，罚去他一个月的工钱。他依然羊一般地飞跑，把安慰送给人们。

在街上，他常常遇见一个孩子，拦住他说："我有一封信，寄给去年的朋友小燕子，请你带了去吧！"他很不安地回答说："很抱歉，不晓得小燕子住在什么地方，没有法子替你带去。"那孩子呆呆地站着，现出失去了伴侣的苦闷的神色。

孩子的朋友小燕子去年住在孩子家里。他们俩一同在屋檐下歌唱，一同到草地上游戏，一刻也不分离。秋天到了，小燕子忧愁地对孩子说："要跟你分别了，我的家族要迁居了。"孩子十分不愿意，但是没有法子，只得含着眼泪送走了她的朋友。小燕子去后，孩子十分想念，就写了一封信，希望最可爱的绿衣人能给她带去。可是她终于呆呆地站着，现出失去了伴侣的苦闷的神色。

这一天他送信，在街上经过，一个妇人拦住了他，对着他哭，伤心得连话也说不成了，拿着一封信向他的背包里乱塞。他一看，就是孩子天天拿着的那封信，上面很有些手指的污痕了。他问妇人说："孩子怎么了？"妇人勉强抑住了哭，哀求他说："我的孩子病了，昏倒在床上。她迷迷糊糊地说，一定要把她的这封信寄去。你给她带了去吧，可怜可怜我的孩子吧！"说罢，她的眼泪成串地往下掉。

他听了十分难过，就安慰妇人说："你不要哭，回去陪着你的孩子吧。我一定替她去找寻小燕子，把她的信送到。你回去告诉她，叫她放心。"

妇人收住了眼泪，向他说了声"多谢"，慈祥的脸上露出一丝笑容。

他就日夜不停地走，经过了树木长得很高很大的炎热的地方，渡过了风浪险恶的海洋，才寻到了小燕子所在的海岛。他把信交给小燕子，并且告诉他，孩子怎样想念他，怎样害了病。小燕子快活地扑着翅膀说："我也给她写了一封信，没法寄，想念得快要生病呢。你既然来了，我的信就托你带去吧。"

他拿了小燕子的信，渡过了风浪险恶的海洋，经过了树木长得很高很大的炎热的地方，来到孩子的家里——来回一共是五天工夫。

孩子看见他，连忙问："我的信，我的心寄去了吗？"他把小燕子的信交给孩子，对孩子说："这是你没想到的东西。"孩子连忙拆开来看，快活得只是乱跳，欢呼道："他快来看我了！他快来看我了！可爱的绿衣人，多谢你的帮助！"

"这算得什么呢？只要你得到安慰，我什么都愿意的。"他高兴地回答。

他回到邮政局里。邮政局里因为他五天没有到差，罚去他两个月的工钱。

有一天，他送信经过街上，看见一个猎人抱着猎枪，坐在凉椅上打盹，身旁堆着好几只打死的野兽。忽然听见有个很弱很弱的声音在招呼他："一封紧急的快信，烦你送一送吧！"他仔细一看，原来有一只野兔还没有死，血沾满了灰色的毛，凝成一团，样子很难看，眼睛已经睁不大开，前爪拿着一封信。

他问野兔："你怎么啦？"野兔忍着痛回答说："我中了枪弹，快要死了。我死算不了什么，就是不放心我的许多同伴。我们这几天开春季联欢会，聚集在一起，在山林里取乐。我刚才听这位打盹的先生说'那边东西多，明天要约几个打猎的朋友，多多地打他一回'，就觉得我的死绝不是值得害怕的事情了。我这封快信，就是要告诉我的同伴，不要只顾快乐；灾难快要到临，赶紧避开吧！"野兔的声音越来越弱，话才说完，四条腿轻轻地挺了几挺，就跟着他旁边的同伴一同长眠了。

他听着看着，心里很难过，不觉滴下眼泪来。他连忙拾起野兔的信，照着信封上写的地方奔去。越过了很深的山涧，爬上了很陡的崖石，钻进了很密的树林，他才到了野兔的同伴们聚集的地方。山羊，梅花鹿，野兔，松鼠，都在那里歌唱,都在那里跳舞;鲜美的果子堆得满地。

小兽们玩儿得正高兴,看见了他,觉得有点奇怪,都走近来打听。他把野兔的信交给小兽们。小兽们看了都非常惊慌,纷纷向密林中逃窜。正在这时候,起了一种嘈杂的声音。他才回转身,不知什么地方发来"砰"的一枪,一颗枪子打中他的左腿,他昏倒了。

他醒转来以后,用草叶裹了受伤的腿,一步一颠回到邮政局里。又是两天没有到差了,这是第三次犯过失,跛子又本来不适宜送信,邮政局就不要他了。

他再不能做什么事,就成了乞丐。

快乐的人

世界上有快乐的人吗？谁是最快乐的人？

世界上有快乐的人的，他就是最快乐的人。现在告诉你们他的故事。

他很奇怪，讲出来或者不能使你们相信，但是他确实这样奇怪。他周身包围着一层极薄的幕，这是天生的，没有谁给他围上，他自己也不曾围上。这层幕很不容易说明白。假若说像玻璃，透明得跟没有东西一样倒是像了，但是这层幕没有玻璃那么厚。假若说像蛋壳，把他裹得严严的倒是像了，但是蛋壳并不透明。总之，这层幕轻到没有重量，薄到没有质地，密到没有空隙，明到没有障蔽。他被这么一件东西包围着，但是他自己不知道被这么一件东西包围着。

他在这层幕里过他的生活，觉得事事快乐，时时快乐。他隔着这层幕看环绕他的一切，又觉得处处快乐，样样快乐。

有一天，他坐在家里，忽然来了两个客人。这两个客人原来是两个骗子。他们打算弄些钱去喝酒取乐，就扮作募捐的样子，一直跑到他家里。因为他们知道，他自身围着一层幕，看不出他们的破绽。

两个客人开口向他募捐。他们的声音十分慈善，他们的话语十分恳切。他们说：受到旱灾的同胞饿得只剩薄皮包着骨头；受到水灾的同胞全身黄肿，到处都渗出水来；受到兵灾的同胞提着快要折断的手臂在哀哭，抱着快要死去的孩子在狂叫。他们说救济苦难的同胞是大家应当做的事，所以愿意尽一点微力，出来到处募捐。

他听了两个客人的话，心里十分感动：受灾的同胞这样悲惨，这样痛苦，他觉得可怜；两位客人这样热心救人，他又很敬佩。他从口袋里取出一大块黄金交到客人的手里。两个客人诚恳地道了谢，就告别了。出了大门，两个人互相看看，脸上现出狡猾的笑容，一同去喝酒取乐了。

他捐了一大块黄金，觉得非常快乐。他闭着眼睛想："这两位客人拿了我的黄金，飞一般地跑到受灾的同胞那边，把黄金分给他们。饿瘦了的立刻有得吃了，个个变得丰满而强健；浸肿了的立刻得到医治，个个变得活泼而精壮；快要折断的手臂接上了；快要死去的孩子救活了。这多么快活！"他又想："我能得到这样的快活，都靠这两位客人。我会遇到这样好的客人，又多么快活！"他快活极了，对着镜子里的自己只是笑。

他的妻子在里屋，知道他又给骗子骗去了一大块黄金。她一直不满意他这样做，很想阻止他，但是看着他堆满了笑意的脸，不知为什么又没有勇气直说了，只在心里实在气不过的时候，冷讽热嘲地说他几句。他听妻子的话全然辨不出真味，因为他周身围着一层幕。

一大块的黄金无缘无故到了骗子的手里，他的妻子的心里该有多么难过。她想这一回一定要重重实实地骂他一顿，教训他以后不要再上骗子的当。她满脸怒容，从里屋赶出来。但是一看见他堆满笑意的脸，她的怒气就发不出来了，骂他的话也在喉咙口哽住了。她只得脸上露出冷笑，用奚落的口气说："你做的天大的善事，人家一开口，大块的黄金就从口袋里摸出来。你真是世间唯一的好人！这样好事，以后尽可以多做些！做得越多，就见得你这个人越好！"

他看着妻子的笑脸，这么美丽，这么真诚，已经快乐得没法说了；又听她的话语这么恳切，这么富有同情，更快乐得如醉如痴，不知怎么才好。他的嘴笑得合不拢来，肥胖的脸上都起了皱纹；一连串笑声像是老鹳夜鸣。他好容易忍住了笑，说道："我遇见的人没有一个不是好人，尤其是你，好到使我想不出适当的话来称赞，更觉得含有深浓无比的快活。我当然依你的话，以后要尽量多做好事。"他说着，带了几块更大的金子，向外面走去。

前面是一片田野，矮墩墩绿油油的，尽栽些桑树。他远远望去，看见有好些人在桑林中行动。原来这时候正是初夏天气，蚕快要做茧了，急等着桑叶吃。养蚕的人昼夜不停地采了桑叶去喂蚕。桑林不是那些人自己的，他们得给桑林的主人付了钱，才能动手采。他们又没有钱，只好把破棉衣当了，把缺了腿的桌子凳子卖了，凑成一笔钱来付给桑林的主人。所以每一片桑叶都染着钱的臭气。这种臭气弥漫在田野间，淹没了花的香气，泥土的甘芳。养蚕的人好几夜没有睡了，疲倦的脸上泛着灰色，眼睛布满了红丝。他们几乎要病倒了，还勉强支撑着，两手不停地摘采，不敢懈怠。这样昏倦的人在桑林中行动，减损了阳光的明亮，草树的葱绿。

他走近桑林，一点也觉察不到采桑的人的困倦，也嗅不出遍布在桑林里的钱的臭气，因为他周身围着一层幕，虽然这幕是透明无质的。他只觉得满心的快乐。他想:“这景象多么悦目,多么叫人心醉呵!那些人真幸福!采桑喂蚕,正是太古时候的淳朴的生活。他们就过着这种淳朴的生活呢。”他一边想,一边停了脚步,看他们把一条一条的桑枝剪下来,盛满一筐,又换过一个空筐子。不可遏止的诗情像泉水一般涌出来了,他的诗道:

满野的绿云,满野的绿云,
人在绿云中行。
采了绿云喂蚕儿,喂蚕儿,
蚕儿吐丝鲜又新。

髻儿蓬松的姑娘们,姑娘们,
可不是脚踏绿云的仙人!
身躯健壮的,胳膊健壮的,
可不是太古时代的快活人!

他得意极了,反复吟唱自己的新诗,似乎鸟儿也和着他吟唱,泉水也跟着他赞美。若有人问:“快乐的天地在哪里?”他一定会跳跃着回答:“我们的天地就是快乐的天地。因为在这天地间,没有一个人、一块石头、一根草、一片叶子不快乐。”

他走过田野,来到都市里。最使他触目的,是一座五层楼房。机器的声响从里面传出来,雄壮而有韵律。原来这是一所纺纱厂,在里面工作的全是妇女。做妻子的,因为丈夫的力气已经用尽,还养不活一家老小;做女儿的，因为父亲找不到职业，一家人无法生活：她们只好进这个纺纱厂来做工。早上天还没亮，她们赶忙跑进厂去；傍晚太阳早回家了，她们才回家。她们中午吃的，是带进去的冷粥和硬烧饼。她们没有工夫梳头，没有工夫换衣服，没有工夫伸个腰打个呵欠，就是生下了孩子，也没有工夫喂奶。她们聚集在一处工作，发出一种浓厚的混污的气息，凝成一种惨淡的颓丧的景象。这种气息，这种景象，充塞在厂房以内，笼罩在厂房之外，这座五层楼房，就仿佛埋在泥沙里，阴沟里。

他走进厂房，一点也觉察不到四周的混污和颓丧，因为他周身围着一层幕，虽然这幕是透明无质的。他只觉得眼前的一切都有趣味。他想："这机器的发明真是人类的第一快乐的事呵！试看机器的工作，多么迅速，多么精巧！那些妇女也十分幸福，她们只做那最轻松的工作，管理机器。"他看着机器在转动，女工在工作，雪白的细纱不断地纺出来，诗情又潮水一般升起来了，他的诗道：

人的聪明，只要听机器的声音，
人的聪明，只要看机器的转动。
机器给我们东西，好的东西。
我们领受它的厚礼。

我赞美工作的女人，
洁白的棉纱围在周身，
虽然用的力量这么轻微，

人间已感激她们的力量的厚意。

他兴奋极了，反复吟唱自己的新诗，似乎机器也和着吟唱，女工们都点头赞叹。若有人问："快乐的天地在哪里？"他必然会跳跃着回答："这里也就是一个快乐的天地。因为在这里，没有一个人、一块铁、一缕纱、一条带不快乐。"

他走出纺纱厂，一大群人迎了上来，欢呼的声音像潮水一般，而且一齐向他行礼。这些人探知他带着很多的大块的黄金，想骗到手，大家分了买鸦片烟吸。他是不会知道底细的，他周身围着一层幕呢！

这些人中的一个代表温和地笑着，向他说："天地是快乐的，人是快乐的，先生是这么相信，我们也这么相信。我们想，咱们在快乐的天地间，做快乐的人，真是最快乐不过的事。这可不能没有个纪念。我们打算造个快乐纪念塔，想来先生一定是赞成的。"

"赞成！赞成！"他高兴地喊着，就把带来的大块的黄金都交给了他们。他们欢呼了一阵，就走了，后来把黄金分了，大家买了鸦片烟拼命地吸。他呢，欢欢喜喜地回到家里，只是设想那快乐纪念塔怎么精美，怎么雄伟；落成的那一天怎么热闹，怎么快乐。这天夜里，他的妻子听见他在梦中发狂般地欢呼。

以上说的，是他一天的经历。他的快乐生活都是这么过的。

有一天，大家传说他死了，害的什么病，都不大清楚。后来有人说："他并不是害病死的。有一个恶神在地面游行，要使地面上没有一个快乐的人，忽然查出了他，就把他的透明无质的幕轻轻地刺破了。"

小黄猫的恋爱故事

孩子很奇怪，这几天里那只小黄猫常常找不到。往日里，小黄猫跟孩子一天到晚在一起，追赶那才着地又滚开的皮球，戏弄那才歇下来又飞走了的蝴蝶，彼此十分快活。吃饭的时候，小黄猫跟孩子并排坐着，等候孩子夹些鱼骨头之类的东西送到他嘴里。睡觉的时候，小黄猫钻进孩子的被窝，蜷着身子睡在他的肩旁。他们两个从不分离，几乎在梦里也没有孤单的时刻。可是最近几天，小黄猫常常不顾孩子，独自走开了。孩子尝到了从未尝过的孤寂滋味，着急地要把小黄猫找回来。什么地方都找到了，在小黄猫常到的没生火的炉子旁边，在堆存旧东西的房间里，在破板壁的窟窿里，在院子角落里水缸的后边，都像找绣花针似的找过了，不见一丝儿踪影。

有一天，小黄猫自己懒洋洋地回来了。孩子非常快活，迎上去把他抱在怀里，呜他，吻他，比平时更加亲昵。但是孩子立刻觉察到小黄猫有点儿异样，对于这样亲热的欢迎，小黄猫没有一点儿快乐的表示，平时那样轻轻地吟哦，活泼地蹦跳，也都不来了，好像有什么心事似的。孩子一不当心，小黄猫又独自走开了。好几回了，小黄猫老是这样。

孩子哪里料得到他的好朋友小黄猫，那只眼睛发亮毛色美丽的小黄猫，为什么跟他疏远,不再跟他一起玩儿呢?原来小黄猫在恋爱了。

事情是这样发生的。在一丛灌木的前面有一个清浅的池塘。树枝伸在水面上轻轻摇动,把池塘边装点得非常美丽。缠在树枝上的藤正开着蓝色的紫色的小花,清清楚楚映在池塘里。一只鹅儿在这图画似的池塘里游泳。葱绿的树枝遮住了阳光,鹅儿雪白的羽毛衬着碧清的水,有一种说不出的美。小黄猫正好来到池塘边散步,一看见鹅儿,爱情就火一般地燃烧起来了。

她确实是一只美丽的鹅儿,一身柔软的羽毛,戴着黄玉似的鹅冠,眼睛闪着金光,左顾右盼,好看极了。谁看见了都会爱她,何况是第一次看见她的小黄猫。他还是一只年轻的小黄猫呢。

小黄猫走近一点儿,用他的固有的柔和声音说:"白衣的小姑娘,你在水面上游泳,好快乐呀!"

"我很快乐!"鹅儿略微转过头来,眼睛半开半合,越见得姿态优美。小黄猫快乐得闭上了眼睛,好像嘴里含着一块糖,仔细品尝她那姿态的滋味。

"你独自一个在这儿,不嫌寂寞吗?"停了一会,小黄猫问。

"倒不觉得。不过谁要是愿意跟我做朋友,在一起玩儿,我也非常欢迎。"鹅儿回答得这样宛转,足见她是一位聪明的姑娘。

"我跟你做朋友,在一起玩儿吧!"小黄猫诚恳地说。

"如果你愿意,那太好了。"鹅儿回答。

从此他们之间的友谊就建立起来了。小黄猫时常到池塘边去访鹅儿。他们谈池上的风景,什么时候彩色的蝴蝶飞来了,什么时候新鲜的花朵开了。他们各自唱心爱的歌儿给对方听,还讲自己听到的许多故事。有时候鹅儿上岸来，跟小黄猫一同到灌木丛中，在绿荫下歇息。他们寻找藏在叶丛里的天牛，谁找到最美丽的谁赢。他们猜测从绿叶稀处飘过的浮云，什么时候过尽，什么时候再有云来。小黄猫因此就忘了往常一天到晚在一起玩儿的孩子了。

小黄猫虽然时常跟鹅儿一起玩儿，一起谈话，心里总觉得不宁贴，因为他有一句想说的最要紧的话还没有说出来，他有一个比一起玩儿进一步的希望还没有达到。“这怎么说呢？说了她将怎样呢？”他不断地想。忍着吧，实在忍不住，径直开口吧，又有点儿胆怯。因此他离开鹅儿回家的时候，唯有默默地沉思。孩子怎么会知道呢？他只觉得奇怪。

一天，小黄猫再也忍不住了，不管鹅儿将怎样回答他，他决意把要说的那句最要紧的话向鹅儿说出来。他准备了一篮青萍作为送给鹅儿的礼物，竹篮的柄儿上插了一束粉红的野蔷薇。他走在路上还鼓励自己要有勇气，不要临时说不出口。他又在河边上自己照了照，举起前爪把脸上的绒毛抚摩得十分光润，把胡须捻得向两边翘起。他想自己是一只漂亮的小黄猫了。

他走到池边，看见鹅儿正在池边散步，可爱的影子倒映在池塘里。他走近去，脸上表现出欢悦的笑容，对鹅儿说：“白衣的小姑娘，你已经来了，等得我心焦了吧？”他不等她回答又说：“今天带了一些毫不足贵的东西送给小姑娘，我的意思是真诚的，请你收下吧。”说着把篮子授给鹅儿。鹅儿一看是她爱吃的青萍和娇红的鲜花，十分喜爱，热诚地谢了他，把一束花儿插在胸前。小黄猫觉得她更加可爱了。他们就跟平日一样地玩儿起来。

小黄猫心里想：“勇气，勇气，不要胆怯！”经过几回自我鼓励，他终于把那句要说的最要紧的话说出来了。“白衣的小姑娘，可以不可以跟你说一句话……我就说了吧，就是我爱你，我爱你！”小黄猫心里慌张得很呢。

“你爱我吗？”鹅儿惊奇地问。稍稍沉思了一会儿，她就恢复了温和安静的态度。她说：“你爱我，我非常感激。但是请你告诉我，你爱我什么呢？你必须明白告诉我，我才可以考虑能不能使你满足。”

小黄猫听了鹅儿的回答，快活得要飞起来了，正想贴近去跟她接个吻，可是马上想到了她提出的问题，“我爱她的什么呢？”一时想不清楚，又不好不回答，就说：“我爱你的洁白的羽毛，白得像雪一样的羽毛。”

“我给你洁白的羽毛，白得像雪一样的羽毛。”鹅儿把全身的羽毛褪下来了。一阵风轻轻吹过，羽毛飘了一地，鹅儿聚拢来都给了小黄猫。

“我爱你灵活美丽的眼睛，闪着金光的眼睛。”小黄猫又说。

“我给你灵活美丽的眼睛，闪着金光的眼睛。”鹅儿把一双眼珠取了出来，随即扔给了小黄猫。小黄猫敏捷地用前爪接住了。

“我爱你头顶的鹅冠，黄玉似的鹅冠。”小黄猫又说。

“我给你头顶的鹅冠，黄玉似的鹅冠。”鹅儿把鹅冠摘下来扔给小黄猫，正掉在小黄猫的脚边。

“我爱你可爱的嘴，能唱好听的歌的嘴。”小黄猫又说。

“我给你可爱的嘴，能唱好听的歌的嘴。”鹅儿的嘴又掉在小黄猫的脚边。

“我爱你玲珑的脚掌。”

鹅儿的脚掌也离开了鹅儿的身体。这时候，鹅儿只剩下一个剥光的身体了。

“我爱你又白又嫩的裸露的身体。”小黄猫又说。

“我给你又白又嫩的裸露的身体。”鹅儿的剥光的身体就滚到小黄猫跟前。

小黄猫悲伤极了,他的心几乎碎了。鹅儿一一满足他的要求,他所爱的全都到手了,哪里知道从此就不见了可爱的鹅儿!

“白衣的小姑娘,你在哪里呀?”小黄猫垂头丧气地走回家去。孩子抱着他跟他取笑的时候,只见他眼眶里满含眼泪。

第二天,小黄猫管不住自己,又走到池塘边,想再看看羽毛、眼睛、鹅冠等等东西。好不快活,只见鹅儿又在池塘里游泳了,清脆的鸣声,优雅的姿态,跟从前没有一点儿不同。

小黄猫问鹅儿:“昨天你把一切东西都给了我,我说不出该怎样感激你。可是你自己藏到哪里去了呢,我的亲爱的小姑娘?”

“请你再不要说什么爱不爱吧。昨天的把戏已经玩过了,不必再玩了。以后咱们还是做朋友的好。”鹅儿很自然地更正对她的称呼。

“仅仅是朋友吗?”小黄猫失望地问。

“昨天的把戏告诉咱们,咱们只能做朋友,要说到爱情,非常对不起,你不能得到我的爱。”

小黄猫终于失败了。

稻草人

田野里白天的风景和情形，有诗人把它写成美妙的诗，有画家把它画成生动的画。到了夜间，诗人喝了酒，有些醉了；画家呢，正在抱着精致的乐器低低地唱，都没有工夫到田野里来。那么，还有谁把田野里夜间的风景和情形告诉人们呢？有，还有，就是稻草人。

基督教里的人说，人是上帝亲手造的。且不问这句话对不对，咱们可以套一句说，稻草人是农人亲手造的。他的骨架子是竹园里的细竹枝，他的肌肉、皮肤是隔年的黄稻草。破竹篮子、残荷叶都可以做他的帽子；帽子下面的脸平板板的，分不清哪里是鼻子，哪里是眼睛。他的手没有手指，却拿着一把破扇子——其实也不能算拿，不过用线拴住扇柄，挂在手上罢了。他的骨架子长得很，脚底下还有一段，农人把这一段插在田地中间的泥土里，他就整天整夜站在那里了。

稻草人非常尽责任。要是拿牛跟他比，牛比他懒怠多了，有时躺在地上，抬起头看天。要是拿狗跟他比，狗比他顽皮多了，有时到处乱跑，累得主人四外去找寻。他从来不嫌烦，不像牛那样躺着看天；也从来不贪玩，不像狗那样到处乱跑。他安安静静地看着田地，手里的扇子轻轻摇动，赶走那些飞来的小雀，他们是来吃新结的稻穗的。他不吃饭，也不睡觉，就是坐下歇一歇也不肯，总是直挺挺地站在那里。

这是当然的，田野里夜间的风景和情形，只有稻草人知道得最清楚，也知道得最多。他知道露水怎么样洒在草叶上，露水的味道怎么样香甜；他知道星星怎么样眨眼，月亮怎么样笑；他知道夜间的田野怎么样沉静，花草树木怎么样酣睡；他知道小虫们怎么样你找我、我找你，蝴蝶们怎么样恋爱。总之，夜间的一切他都知道得清清楚楚。

以下就讲讲稻草人在夜间遇见的几件事情。

一个满天星斗的夜里，他看守着田地，手里的扇子轻轻摇动。新出的稻穗一个挨一个，星光射在上面，有些发亮，像顶着一层水珠；有一点儿风，就沙拉沙拉地响。稻草人看着，心里很高兴。他想，今年的收成一定可以使他的主人——一个可怜的老太太——笑一笑了。她以前哪里笑过呢？八九年前，她的丈夫死了。她想起来就哭，眼睛到现在还红着；而且成了毛病，动不动就流泪。她只有一个儿子，娘儿两个费苦力种这块田，足足有三年，才勉强把她丈夫的丧葬费还清。没想到儿子紧接着得了白喉，也死了。她当时昏过去了，后来就落了个心痛的毛病，常常犯。这回只剩她一个人了，老了，没有气力，还得用力耕种，又挨了三年，总算把儿子的丧葬费也还清了。可是接着两年闹水，稻子都淹了，不是烂了就是发了芽。她的眼泪流得更多了，眼睛受了伤，看东西模糊，稍微远一点儿就看不见。她的脸上满是皱纹，倒像个风干的橘子，哪里会露出笑容来呢！可是今年的稻子长得好，很壮实，雨水又不多，像是能丰收似的。所以稻草人替她高兴。想来到收割的那一天，她看见收的稻穗又大又饱满，这都是她自己的，总算没有白受累，脸上的皱纹一定会散开，露出安慰的满意的笑容吧。如果真有这一笑，在稻草人看来，那就比星星月亮的笑更可爱，更可珍贵，因为他爱他的主人。

稻草人正在想的时候，一个小蛾飞来，是灰褐色的小蛾。他立刻认出那小蛾是稻子的仇敌，也就是主人的仇敌。从他的职务想，从他对主人的感情想，都必须把那小蛾赶跑了才是。于是他手里的扇子摇动起来。可是扇子的风很有限，不能够叫小蛾害怕。那小蛾飞了一会儿，落在一片稻叶上，简直像不觉得稻草人在那里驱逐似的。稻草人见小蛾落下了，心里非常着急。可是他的身子跟树木一样，定在泥土里，想往前移动半步也做不到；扇子尽管扇动，那小蛾却依旧稳稳地歇着。他想到将来田里的情形，想到主人的眼泪和干瘪的脸，又想到主人的命运，心里就像刀割一样。但是那小蛾是歇定了，不管怎么赶，他就是不动。

星星结队归去，一切夜景都隐没的时候，那小蛾才飞走了。稻草人仔细看那片稻叶，果然，叶尖卷起来了，上面留着好些蛾下的子。这使稻草人感到无限惊恐，心想祸事真个来了，越怕越躲不过。可怜的主人，她有的不过是两只模糊的眼睛；要告诉她，使她及早看见这个，才有挽救呢。他这么想着，扇子摇得更勤了。扇子常常碰在身体上，发出啪啪的声音。他不会叫喊，这是唯一的警告主人的法子了。

老妇人到田里来了。她弯着腰，看看田里的水正合适，不必再从河里车水进来。又看看她手种的稻子，全很壮实；摸摸稻穗，沉甸甸的。再看看那稻草人，帽子依旧戴得很正；扇子依旧拿在手里，摇动着，发出啪啪的声音；并且依旧站得很好，直挺挺的，位置没有动，样子也跟以前一模一样。她看一切事情都很好,就走上田岸,预备回家去搓草绳。

稻草人看见主人就要走了,急得不得了,连忙摇动扇子,想靠着这急迫的声音把主人留住。这声音里仿佛说:“我的主人,你不要去呀! 你不要以为田里的一切事情都很好,天大的祸事已经在田里留下种子了。一旦发作起来,就要不可收拾,那时候,你就要流干了眼泪,揉碎了心;趁着现在赶早扑灭,还来得及。这,就在这一棵上,你看这棵稻子的叶尖呀!”他靠着扇子的声音反复地表示这个警告的意思;可是老妇人哪里懂得,她一步一步地走远了。他急得要命,还在使劲摇动扇子,直到主人的背影都望不见了,他才知道这警告是无效了。

除了稻草人以外,没有一个人为稻子发愁。他恨不得一下子跳过去,把那灾害的根苗扑灭了;又恨不得托风带个信,叫主人快快来铲除灾害。他的身体本来是瘦弱的,现在怀着愁闷,更显得憔悴了,连站直的劲儿也不再有,只是斜着肩,弯着腰,成了个病人的样子。

不到几天,在稻田里,蛾下的子变成的肉虫,到处都是了。夜深人静的时候,稻草人听见他们咬嚼稻叶的声音,也看见他们越吃越馋的嘴脸。渐渐地,一大片浓绿的稻全不见了,只剩下光杆儿。他痛心,不忍再看,想到主人今年的辛苦又只能换来眼泪和叹气,禁不住低头哭了。

这时候天气很凉了,又是在夜间的田野里,冷风吹得稻草人直打哆嗦;只因为他正在哭,没觉得。忽然传来一个女人的声音:“我当是谁呢,原来是你。”他吃了一惊,才觉得身上非常冷。但是有什么法子呢?他为了尽责任,而且行动不由自主,虽然冷,也只好站在那里。他看那个女人,原来是个渔妇。田地的前面是一条河,那渔妇的船就停在河边,舱里露出一丝微弱的火光。她那时正在把撑起的鱼罾[1]放到河底；鱼罾沉下去，她坐在岸上，等过一会儿把它拉起来。

舱里时常传出小孩子咳嗽的声音，又时常传出困乏的、细微的叫“妈”的声音。这使她很焦心，她用力拉罾，总像是不顺手，并且几乎回回是空的。舱里还是有声音，她就向舱里的病孩子说：“你好好儿睡吧！等我得着鱼，明天给你煮粥吃。你总是叫我，叫得我心都乱了，怎么能得着鱼呢！”

孩子忍不住，还是喊：“妈呀，把我渴坏了！给我点儿茶喝！”接着又是一阵咳嗽。

“这里哪来的茶！你老实一会儿吧，我的祖宗！”

“我渴死了！”孩子竟大声哭起来。在空旷的夜间的田野里，这哭声显得格外凄惨。

渔妇无可奈何，把拉罾的绳子放下，上了船，进了舱，拿起一个碗，从河里舀了一碗水，转身给病孩子喝。孩子一口气把水喝下去，他实在渴极了。可是碗刚放下，就又咳嗽起来；并且像是更厉害了，后来就只剩下喘气。

渔妇不能多管孩子，又上岸去拉她的罾。好久好久，舱里没有声音了，她的罾也不知又空了几回，才得着一条鲫鱼，有七八寸长。这是头一次收获，她很小心地把鱼从罾里取出来，放在一个木桶里，接着又把罾放下去。这个盛鱼的木桶就在稻草人的脚旁边。

这时候稻草人更加伤心了。他可怜那个病孩子，渴到那样，想一口茶喝都不成；病到那样，还不能跟母亲一起睡觉。他又可怜那个渔妇，在这寒冷

---

① 鱼罾，一种用木棍或竹竿做支架的方形渔网。

的深夜里打算明天的粥，所以不得不硬着心肠把病孩子扔下不管。他恨不得自己去作柴，给孩子煮茶喝；恨不得自己去作褥，给孩子一些温暖；又恨不得夺下小肉虫的赃物，给渔妇煮粥吃。如果他能走，他一定立刻照着他的心愿做；但是不幸，他的身体跟树木一样，长在泥土里，连半步也不能动。他没有法子，越想越伤心，哭得更痛心了。忽然啪的一声，他吓了一跳，停住哭，看出了什么事情，原来是鲫鱼被扔在木桶里。

这木桶里的水很少，鲫鱼躺在桶底上，只有靠下的一面能够沾一些潮润。鲫鱼很难过，想逃开，就用力向上跳。跳了好几回，都被高高的桶帮挡住，依旧掉在桶底上，身体摔得很疼。鲫鱼的向上的一只眼睛看见稻草人，就哀求说："我的朋友，你暂且放下手里的扇子，救救我吧！我离开我的水里的家，就只有死了。好心的朋友，救救我吧！"

听见鲫鱼这样恳切的哀求，稻草人非常心酸；但是他只能用力摇动自己的头。他的意思是说："请你原谅我，我是个柔弱无能的人哪！我的心不但愿意救你，并且愿意救那个捕你的妇人和她的孩子，还有你、妇人、孩子以外的一切受苦受难的。可是我跟树木一样，定在泥土里，连半步也不能自由移动，我怎么能照我的心愿做呢！请你原谅我，我是个柔弱无能的人哪！"

鲫鱼不懂稻草人的意思，只看见他连连摇头，愤怒就像火一般地烧起来了。"这又是什么难事！你竟没有一点人心，只是摇头！原来我错了，自己的困难，为什么求别人呢！我应该自己干，想法子，不成，也不过一死罢了，这又算什么！"鲫鱼大声喊着，又用力向上跳，这回用了十二分力，连尾巴和胸鳍的尖端都挺起来。

稻草人见鲫鱼误解了他的意思，又没有方法向鲫鱼说明，心里很悲痛，就一面叹气一面哭。过了一会儿，抬头看看，渔妇睡着了，一只手还拿着拉罾的绳；这是因为她太累了，虽然想着明天的粥，也终于支持不住了。桶里的鲫鱼呢？跳跃的声音听不见了，尾巴像是还在断断续续地拨动。稻草人想，这一夜是许多痛心的事都凑在一块儿了，真是个悲哀的夜！可是看那些吃稻叶的小强盗，他们高兴得很，吃饱了，正在光秆儿上跳舞呢。稻子的收成算完了，主人的衰老的力量又白费了，世界上还有比这更可怜的吗！

夜更暗了，连星星都显得无光。稻草人忽然觉得由侧面田岸上走来一个黑影，近了，仔细一看，原来是个女人，穿着肥大的短袄，头发很乱。她站住，望望停在河边的渔船；一转身，向着河岸走去；不多几步，又直挺挺地站在那里。稻草人觉得很奇怪，就留心看着她。

一种非常悲伤的声音从她的嘴里发出来，微弱，断断续续，只有听惯了夜间一切细小声音的稻草人才听得出。那声音是说："我不是一头牛，也不是一口猪，怎么能让你随便卖给人家！我要跑，不能等着你明天真卖给人家。你有一点儿钱，不是赌两场输了就是喝几天黄汤花了，管什么！你为什么一定要逼我？……只有死，除了死没路！死了，到地下找我的孩子去吧！"这些话又哪里成话呢，哭得抽抽搭搭的，声音都被搅乱了。

稻草人非常心惊，想这又是一件惨痛的事情让他遇见了。她要寻死呢！他着急，想救她，自己也不知道为什么。他又摇起扇子来，想叫醒那个睡得很沉的渔妇。但是办不到，那渔妇跟死的一样，一动也不动。他恨自己，不该像树木一样，定在泥土里，连半步也不能动。见死不救不是罪恶吗？自己就正在犯着这种罪恶。这真是比死还难受的痛苦哇！"天哪，快亮吧！农人们快起来吧！鸟儿快飞去报信吧！风快吹散她寻死的念头吧！”他这样默默地祈祷；可是四围还是黑洞洞的，声音也没有一点点。他心碎了，怕看又不能不看，就胆怯地死盯着站在河边的黑影。

那女人沉默着站了一会儿，身子往前探了几探。稻草人知道可怕的时候到了，手里的扇子拍得更响。可是她并没跳，又直挺挺地站在那里。

又过了好大一会儿，她忽然举起胳膊，身体像倒下一样，向河里面蹿去。稻草人看见这样，没等到听见她掉在水里的声音，就昏过去了。

第二天早晨，农人从河岸经过，发现河里有死尸，消息立刻传出去。左近的男男女女都跑来看。嘈杂的人声惊醒了酣睡的渔妇，她看那木桶里的鲫鱼，已经僵僵地死了。她提了木桶走回船舱；病孩子醒了，脸显得更瘦了，咳嗽也更加厉害。那老农妇也随着大家到河边来看；走过自己的稻田，顺便看了一眼。没想到，几天工夫，完了，稻叶稻穗都没有了，只留下直僵僵的光秆儿。她急得跺脚，捶胸，放声大哭。大家跑过来问，劝她，看见稻草人倒在田地中间。

牧羊儿

草场的一角有一座小屋子，住着一个孩子和三十多头羊。孩子和羊彼此非常要好，比兄弟姊妹还要亲热。屋子里铺着厚厚的稻草。他们躺在草上，你枕着我的腿，我贴着他的胸，挨挨挤挤的，一同度过又黑又长的夜。

夜虽然又黑又长，他们却觉得很暖和，很有滋味。他们常常做梦，梦见许多可喜的事儿。

一头羊把脑袋一偏，它的角正好抵在孩子的嘴唇边，孩子就做起梦来了。他梦见正当炎热的夏天，自己坐在雪白的帐篷底下，捧着一大碗冰淇淋，吃得正高兴。冰淇淋真凉，从嘴唇直凉到心里，爽快极了。忽然又梦见草场上到处长满了碧绿的大西瓜，成了一大片瓜田。他捧起一个西瓜，用手一拍就成了两半，麦黄色的瓜瓤儿闪闪发亮。他张口大嚼，又甜又凉爽，好像夏天已经过去了。

跟他睡在一起的羊也做梦。有一头羊把它的脑袋靠在另一头羊的胸口上，鼻子和嘴唇蹭着柔软的毛，它就做起梦来。它梦见草场上的草长得又肥又嫩，看着都心爱。它呼唤同伴们，叫大家一同来吃；那种又甜又鲜的味道，大家从来没尝到过。

有一头羊把跷起的腿搁在另一头羊的脖子上，它也做起梦来。它梦见自己在草场上跳跃，越跳越高，仙人掌那么矮，算不了一回事儿，土墙那么低，也算不了一回事儿，连那么高的榕树，它都跳过去了，跟跳过一丛小草似的。它越跳越高，多么快活呀，它能腾空飞行了，像一只雪白的鸽子，可是它不用翅膀，只要划动它的四条腿就成了。低头向下看，同伴们都在草场上望着它呢。再一看，却是许多雪白的鹅。它使劲喊起来："你们飞吧，你们快飞吧！"

孩子和羊在夜里做的梦，大多是这样的。等到天一亮，孩子和羊一同起身，来到草场上。他们开始吃东西，羊吃草，孩子吃他带来的饭。吃饱了，大家一同唱歌玩儿，孩子唱《孟姜女》《一朵茉莉花》，羊唱它们的《咩咩曲》。

他们常常面颊蹭面颊，耳朵蹭耳朵，大家感到又软又痒，非常舒服。有时候两头羊面对面站了起来，彼此前腿扶着前腿，跳起舞来。有时候孩子跟羊赛跑，从草场的这一头跑到那一头。有时候孩子抱着羊躺在草地上，仰面看飘着白云的天空。天空像没有波浪的大海，海中有白石头堆成的小岛，还有张起白帆的小船。

草场东边有几棵老榕树，脖子里挂下很长的胡须，随风飘拂。孩子和羊最喜欢这几位老公公，常常到它们跟前去玩儿。孩子和羊玩得高兴，都笑起来；老榕树掀着长胡须，也笑起来。站在一旁的仙人掌伸出了碧绿的胳膊，想跟他们一起玩儿，可是脚埋在土里，一步也动不了。孩子和羊懂得仙人掌的意思，到它们跟前去跟它们玩儿。

大家都很快乐，小孩很快乐，羊很快乐，老榕树和仙人掌也很快乐。

有一天，一位老婆子突然跑到草场上来对孩子说："你的母亲死了，快跟我回去！”

孩子听了，心里像塞进了一件什么东西，眼泪立刻涌出来了，放声大哭起来。他伸出了两只手，好像要抓住什么似的，急急忙忙，跟着老婆子走了。

“他走了。”一头雪白的羊说，声音很凄凉。

“我们少了一个同伴了，”一头双角弯弯的羊说，“他从来没离开过我们。我们没有了他，好像一切都变了样，干什么都没有兴趣了。”

“你们没听见吗，他的母亲死了。”一头长胡须老羊叹息说，它的眼角上闪着泪花。

一头小白羊忍不住哭起来，它呜咽着说：“他从此没有母亲了。他再叫母亲也没有人应了，还从此没有奶吃了。这样的痛苦，教他怎么受得了呢？”

小白羊一哭，引得大家都流起眼泪来。所有的小羊都贴紧自己的母亲，觉得自己有母亲可叫，有奶可吃，是天底下最大的幸福。

双角弯弯的羊抹着眼泪说：“他碰上这样伤心的事儿，我们在这里代他流眼泪，对他没有一点儿用处。我们应当推选几个代表去安慰安慰他，顺便请他早点儿回到我们这儿来。”

“这个主意好。”大家忍着眼泪说，“你就是一个代表。”

大家一共选出了三个代表，双角弯弯的羊是一个，还有两个是卷毛的白羊和长角的灰羊，请它们代表大家去慰问孩子。

三头羊离开了草场，顺着大路向前走。走到三岔路口，它们不知道该走哪一条路，只好站住了。

恰好背后来了个人，笑嘻嘻地问他们：“你们不认识路吗？”

卷毛白羊点点头说:“是的。同我们在一起的孩子,他的母亲死了。您知道去他家里应当走哪一条路?”

那个人随便用手一指,笑着说:“走左边这条路。正好我也要到那里去,你们就跟我走吧。前边还有岔路,跟着我走没有错。”

三头羊谢了又谢,就跟着那个人走。前边果真有许多岔路,跟着他走一点儿用不着迟疑。走到一座又矮又小的房子前,那个人推开板门,对它们说:“孩子就在这里,你们进去吧。”

三头羊急忙奔进去,只想早点儿安慰失去了母亲的孩子,没想到身后的板门突然关上了。它们受骗了,被那个人关进了羊圈。第二天,那个人把三头羊宰了,卖了许多钱,自己还饱吃了一顿羊肉。

那天傍晚,羊的主人站在大门口,望见草场上的羊还没有回去,急急忙忙赶来了。他找不着孩子,就发起火来:“这个孩子太顽皮,跑到哪儿去了?这时候还不让羊回去。”

主人把羊赶回屋子里,数了数,少了三头。他的火发得更大了,拿起竹竿在羊的身上乱抽。那天夜里躺在床上,他又气又恼,简直没合上眼。直到窗子上有点儿亮光了,他才打定主意。

那天夜里,所有的羊都做了可怕的梦。小羊梦见母亲死了,衔着母亲的冰冷的乳头,一个劲儿号哭。大羊梦见主人手里的竹竿忽然变成了雪亮的刀,自己的脑袋被砍掉了,脖子痛得没法忍受。母羊梦见自己的孩子被魔鬼捉去了,撒开四条腿赶紧追,怎么也追不上,最后一跤摔醒了。

第二天早上,羊的主人唤了一个人来,对他说:“喂羊又麻烦又吃亏,只有傻子才干这种事儿。我把羊全卖给你,你牵回去宰了好卖。”

那个人付了钱,拿长长的绳子把羊拴成几串,牵着走了。

就在羊做可怕的梦的时候,孩子的母亲被放进了棺材。这口棺材是孩子走遍了东村西村,磕了数不清的头,凑了钱买来的。孩子贴着棺材睡着了,好像贴在母亲的胸前。不一会儿他就醒了,看看天色已亮,不知道羊怎样了,急忙向草场跑去。

孩子跑到草场上,一头羊也不见;跑进屋里,也不见羊的踪影。他急了,连忙去见主人。

主人板起脸对他说:“你好,到这时候才回来。我已经把羊卖掉了。我不再喂羊了,这里用不着你了。”

孩子一听这话,觉得好像摔了一跤,不是摔在地上,而是摔在半空中,四处没有倚傍。他自己也不知怎么走出了主人家的大门。

草场上从此没有羊也没有孩子了。只有仙人掌一声不响地站在那里,老榕树掀着长胡须在默默地叹息。

聪明的野牛

在很远很远的树林子里，住着一群野牛。他们随意吃草，随意玩，来来往往总是成群结队的，非常快乐。

一天，他们正在树林里的草地上散步，忽然一个穿绿衣裳的邮差来了，给他们送来一封信。接信的那头牛看了看信封，高兴地喊："咱们住在城市里的同族给咱们寄信来了！"

旁的牛听见了，立刻凑过来，都很高兴地喊："快拆开来看！"

接信的那头牛把信拆了，用粗大的声音念起来：

咱们虽然没见过面，可是从祖先传下来，知道很远很远的地方住着我们的同族，就是你们。我们常常想念你们，常常希望有一天彼此聚在一块儿。你们想，长胡子的羊，大肚子的猪，并不是我们的同族，我们还挺愿意跟他们一块儿游逛，一块儿出来进去，何况你们是我们的同族呢。

我们这里挺好。住得舒服，是瓦盖的房子。吃的也好，是鲜嫩的青草。我们希望你们到这里来，咱们共同享受这些东西。你们住在树林子里，碰到下雨就糟了。你们那里恐怕只有些细小的茅草，这怎么吃得饱呢！来吧，来跟我们共同享受这些好东西吧。

现在什么事情都方便了，你们千万别嫌远，坐火车来，只要三天工夫就到了。你们没坐过火车吧？挺舒服的，车厢有木板围着，两块木板中间有一道缝，又透气，又可以看看外边的景致。你们应当见识见识。坐火车来吧。

我们在这里预备欢迎你们。

住在城市里的你们的同族

野牛听了信里的话，都觉得很快活，没想到那么远的同族，居然在远远的地方欢迎他们去共同享受好东西。可是问题来了：马上全体同去呢，还是不马上去，过几天再说？

一头野牛说："去去也可以。不过咱们没坐过火车，不知道那玩意儿容易坐不容易坐。你们没听信上说吗？虽说很方便，也差不多要三天工夫呢。"

又一头野牛说："他们说什么瓦盖的房子，不知道咱们住得惯住不惯。照我想，盖得看不见天，看不见四周围，住在里边总该有点儿气闷。"

第三头野牛说："他们说吃的是鲜嫩的青草，我怕吃不饱。咱们得吃又老又结实的草，这才有嚼头。"他说完，低头咬了一口草，很有味地嚼着。

第四头野牛说："总不该辜负他们的好意，咱们得想个妥善的办法。"

一头聪明的野牛仰起头，摇摇尾巴说："他们欢迎咱们去，咱们也愿意去。咱们怕的，只在去的时候不方便，到了那边住不惯。据我的意见，咱们不妨推举一位先去看看情形,顺便谢谢他们的好意。要是那边确是好,就全体去。”

“这意思很好!”全体野牛一齐喊,同时都摇摇尾巴,表示赞成。

一头野牛说:“我们就推举你去,你最聪明。”

“赞成!赞成!”大家又都摇摇尾巴。

那聪明的野牛立刻动身,代表全体野牛,到城市里去看望同族,参观他们的生活情形。

聪明的野牛到了城市,就从火车上下来。他觉得坐火车倒也有趣,树木都往后边跑,平地老是在那里旋转,这过去都没见过。只是那车厢太拘束了,这边也是乘客,那边也是乘客,身子连动都不能动。要是住在城市里常常要坐这个东西,就太不舒服了。

他想着,一面往四外张望。那边一大群牛瞧见他了,立刻都跑过来喊:“欢迎!欢迎!”接着,都围住他,跟他摩脸为礼,然后拥着他回到他们的家。

到家以后,他们领着他看房子,请他吃槽里的草。并且说,这些全是人给预备的,不用他们自己费心。要是不高兴出去,成年住在这里也没什么忧愁。

野牛觉得不明白,他就问:“人为什么要给你们预备房子和草呢?”

“那没有别的,他们跟我们有交情,所以给我们预备这些东西。”

“事情没这么简单吧?我要仔细看看,才会明白。”

“你看吧,”城市里的牛一齐笑起来,“你在这里住几天,就知道我们的生活多舒服,人待我们多好了。”

野牛住了几天，觉得这屋子很憋气，完全没有树林里的那种清风。草虽然是嫩的，可是不像野地的草那么有嚼头，有味道。这些都不关紧要，他想弄明白的是人跟他们的交情到底怎么样。

他跟着他们出去玩一会儿，这就让他看出来了。回到家里，他亲切地劝告他们说：“你们弄错了，我看人跟你们并没什么交情。不然，为什么要拿鞭子打你们呢？”

“这有道理。这因为我们走错了路，不朝这里走，他一时招呼不过来，所以用鞭子指点我们。这不能算用鞭子打。”

野牛提醒他们说：“你们真是让什么给弄迷糊了，还有可怕的事情等着你们呢。这个人实在是个屠夫！我刚才靠近他，闻到他满身的血腥气，正是咱们同族的血腥气。他为什么要盖房子给你们住，预备草料给你们吃，你们还想不明白吗？”

城市里的牛有点儿怕起来了，你看看我，我看看你，半信半疑地说：“不见得吧？”

野牛说：“不见得？还说不见得！等他把你们捆起来，拿出刀来的时候，你们后悔就来不及了。”

“那怎么办呢？”有几头牛垂头丧气地说。

野牛说：“你们听我的话，大家离开这里就是了。”

“离开这里？哪里去住，哪里去吃呢？”

野牛说：“世界上地方多得很。你们只要拔起腿来跑，什么地方不能去！你们一定要住房子吗？树林里的生活才痛快呢。你们一定要吃槽里的草吗？到处跑，到处吃地上的草，味道比这好得多。你们不要以为只有在这里才能生活,世界上都是咱们生活的地方。我们野牛就因为明白了这一层,所以从来没遇见什么危险。你们是永远住在危险里头,赶快看清楚一点儿吧!”

一头母牛说:“你叫我们离开这里,这怎么成呢?我们跑,人就要追。我们不回来,他手里有鞭子。”

野牛笑了,说:“你们没试过,怎么知道不成呢?你们往四面跑,他去追哪一个好?等他不追了,你们还是可以聚集在一块儿。”

“我们为了自己的生命,只好试一下了。但是,离开这里去过流浪生活,不知道到底怎么样,想想也有点儿害怕。”

第二天,城市里的牛在一个空场上散步,野牛也在里头。

人的屋子里有清脆的磨刀声音。

野牛警告他们说:“听见了吗?时候到了,不能再等了!”

城市里的牛都禁不住打哆嗦,你看看我,我看看你,说不出话来。

野牛英勇地喊:“要生活的,就该拿出勇气来!你们忘了吗?拔起腿来跑!往四面跑!”

他这声音好像给大家灌注了一股勇气,大家立刻胆壮了,拔起腿来就往四面跑。他们跑了一会儿,久住的房子和常到的空场都撇在后头了。

看牛的人想不到有这么一回事,马上放下手里的刀,跑出来追。但是追哪一条好呢?他正在发愣,场里空了,一头牛也没有了。

许多牛从好几条路聚集在一块儿,大家说:“离开老地方,原来也没什么困难。”

野牛说:“跟我回去,尝尝我们野地生活的味道吧。”

他们就到野牛的树林子里,安适地活下去。

古代英雄的石像

为了纪念一位古代的英雄,大家请雕刻家给这位英雄雕一个石像。

雕刻家答应下来,先去翻看有关这位英雄的历史,想象他的容貌,想象他的性情和气概。雕刻家的意思,随随便便雕一个石像不如不雕,要雕就得把这位英雄活活地雕出来,让看见石像的人认识这位英雄,明白这位英雄,因而崇拜这位英雄。

功到自然成。雕刻家一边研究,一边想象,石像的模型在他心里渐渐完成了。石像的整个姿态应该怎样,面目应该怎样,小到一个手指头应该怎样,细到一根头发应该怎样,他都想好了。他的意思,只有依照他想好的样子雕出来,才是这位英雄的活生生的本身,不是死的石像。

雕刻家到山里采了一块大石,就动手工作。他心里有现成的模型,雕起来就有数,看看那块大石,什么地方应该留,什么地方应该去,都清楚明白。钢凿一下一下地凿,刀子一下一下地刻,大小石块随着纷纷往地上掉。像黄昏时星星的显现一样,起初模糊,后来明晰,这位英雄的像终于站在雕刻家面前了。真是一丝也不多,一毫也不少,正同雕刻家心里想的一模一样。

这石像抬着头,眼睛直盯着远方,表示他的志向远大无边。嘴张着,好像在那里喊“啊”！左胳膊圈向里，坚强有力，仿佛拢着他下面的千百万群众。右手握着拳，向前方伸着，筋骨突出像老树干，意思是谁敢侵犯他一丝一毫，他就不客气给他一下子。

市中心有一片空场，大家就把这新雕成的石像立在空场的中心。立石像的台子是用石块砌成的，这些石块就是雕刻家雕像的时候凿下来的。这是一种新的美术建筑法，雕刻家说比用整块的方石垫在底下好得多。台子非常高，人到市里来，第一眼望见的就是这石像，就像到巴黎去第一眼望见的是那铁塔一样。

雕刻家从此成了名，因为他能够给古代英雄雕一个石像，使大家都满意。

为了石像成功曾经开一个盛大的纪念会。市民都聚集到市中心的空场，在石像下行礼，欢呼，唱歌，跳舞；还喝干了几千坛酒，挤破了几百身衣裳，摔伤了很多人的膝盖。从这一天起，大家心里有这位英雄，眼里有这位英雄，做什么事情都像比以前更有力气，更有意思。无论谁从石像下经过，都要站住，恭恭敬敬地鞠个躬，然后再走过去。

骄傲的毛病谁都容易犯，除非圣人或傻子。那块被雕成英雄像的石头既不是圣人，又不是傻子，只是一块石头，看见人们这样尊敬他，当然就禁不住要骄傲了。

“看我多荣耀！我有特殊的地位，站得比一切都高。所有的市民都在下面给我鞠躬行礼。我知道他们都是诚心诚意的。这种荣耀最难得，没有一个神圣仙佛能够比得上！”

他这话不是向浮游的白云说，白云无精打采的，没有心思听他的话；也不是向摇摆的树林说，树林忙忙碌碌的，没有工夫听他的话。他这话是向垫在他下面的伙伴——大大小小的石块说的。骄傲的架子要在伙伴面前摆，也是世间的老规矩。但是他仍然抬着头，眼睛直盯着远方，对自己的伙伴连一眼也不瞟，这就见得他的骄傲是太过了分。他看不起自己的伙伴，不屑于靠近他们，甚至还有溜到嘴边又咽回去的一句话："你们，垫在我下面的，算得了什么呢！"

"喂，在上面的朋友，你让什么东西给迷住心了？你忘了从前！"台子角上的一块小石头慢吞吞地说，像是想叫醒喝醉的人，个个字都说得清楚，着实。

"从前怎么样？"上面那石头觉得出乎意料，但是不肯放弃傲慢的气派。

"从前你不是跟我们混在一起吗？也没有你，也没有我们，咱们是一整块。"

"不错，从前咱们是一整块。但是，经过雕刻家的手，咱们分开了。钢凿一下一下地凿，刀子一下一下地刻，你们都掉下去了。独有我，成了光荣尊贵的、受全体市民崇拜的雕像。我高高在上是应当的。难道你们想跟我平等吗？如果你们想跟我平等，就先得叫地跟天平等！"

"嘻！"另一块小石头忍不住，出声笑了。

"笑什么！没有礼貌的东西！"

"你不但忘了从前，也忘了现在！"

"现在又怎么样？"

"现在你其实也并没跟我们分开。咱们还是一整块，不过改了个样式。你看，从你的头顶到我们最下层，不是粘在一起吗？并且，正因为改成现在的样式，你的地位倒不安稳了。你在我们身上站着，只要我们一摇动，你就不能高高地……”

“除了你们，世间就没有石块了吗？”

“用不着费心再找别的石块了！那时候就没有你了，一跤摔下去，碎成千块万块，跟我们毫无分别。”

“没有礼貌的东西！胡说！敢吓唬我？”上面那石头生气了，又怕失去了自己的尊严，所以大声吆喝，像对囚犯或奴隶一样。

“他不信，”砌成台子的全体石块一齐说，“马上给他看看，把他扔下去！”

上面那石头吓了一跳，顾不得生气了，也暂时忘了自己的尊严，就用哀求的口气说：“别这样！彼此是朋友，连在一起粘在一起的朋友，何必故意为难呢！你们说的一点儿也不错，我相信，千万不要把我扔下去！”

“哈！哈！你相信了？”

“相信了，完全相信。”

危险算是过去了。骄傲像隔年的草根，冬天刚过去，就钻出一丝丝的嫩芽。上面那石头故意让语声柔和一些，用商量的口气说：“我想，我总比你们高贵一些吧，因为我代表一位英雄，这位英雄在历史上是很有名的。”

一块小石头带着讥笑的口气说：“历史全靠得住吗？几千年前的人自个儿想的事情，写历史的人都会知道，都会写下来。你说历史能不能全信？”

另一块石头接着说：“尤其是英雄，也许是个很平常的人，甚至是个坏蛋，让写历史的人那么一吹嘘，就变成英雄了；反正谁也不能倒过年代来对证。还有更荒唐的，本来没有这个人，明明是空的，经人一写，也就成了英雄了。哪吒，孙行者，不都是英雄吗？这些虽说是小说里的人物，可是也在人的心里扎了根，这就说明，小说跟历史也差不了多少。”

“我代表的那位英雄总不会是空虚的，”上面那石头有点儿不高兴，竭力想说服底下的那些石头，“看市民这样纪念他，崇拜他，一定是历史上的实实在在的英雄。”

“也未必！”六七块石头同时接着说。

一块伶俐的小石头又加上一句：“市民最大的本领就是纪念空虚，崇拜空虚。”

上面那石头更加不高兴了，自言自语地说：“空虚？我以为受人崇拜总是光荣的，难道我上了当……”

一块小石头也自言自语地说：“我们岂止上了当，简直受了罪——一辈子垫在空虚的底下……”

大家不再说话了，像是都在想事情。

半夜里，石像忽然倒跌下来，像游泳的人由高处跳到水里。离地高，摔得重，碎成千块万块。石像，连下面的台子，一点儿原来的样子也没有了，变成大大小小的石块，堆在地上。

第二天早晨，市民从石像前边过，预备恭恭敬敬地鞠躬，可是空场中心只有乱石块，石像不知哪里去了。大家你看看我，我看看你，说不出一句话，无精打采地散去了。

雕刻家在乱石块旁边大哭了一场，哀悼他生平最伟大的杰作。他宣告说，他从此不会雕刻了。果然，以后他连一件小东西也没雕过。

乱石块堆在空场的中心很讨厌，有人提议用它筑市外往北去的马路，大家都赞成。新路筑成以后，市民从那里走，都觉得很方便，又开了一个庆祝的盛会。

晴和的阳光照在新路上，块块石头都露出笑脸。他们都赞美自己说：

“咱们真平等！”

“咱们一点儿也不空虚！”

“咱们集合在一块儿，铺成真实的路，让人们在上面高高兴兴地走！”

书的夜话

年老的店主吹熄了灯，一步一步走上楼梯，预备去睡了。但是店堂里并不就此黑暗，青色的月光射进来，把这里照成个神奇的境界，仿佛立刻会有仙人跑出来似的。

店堂里三面靠墙壁都是书架子，上面站满了各色各样的书。有的纸色洁白，像女孩子的脸；有的转成暗黄，有如老人的皮肤。有的又狭又长，好比我们在哈哈镜里看见的可笑的长人；有的又阔又矮，使你想起那些肠肥脑满的商人。有的封面画着花枝，淡雅得很；有的是乱七八糟的一幅，好像是打仗的场面，又好像是一堆乱纷纷的虫豸。有的脊梁上的金字放出灿烂的光，跟大商店的电灯招牌差不多，吸引着你的视线；有的只有朴素的黑字标明自己的名字，仿佛告诉人家它有充实的内容，无须打扮得花花绿绿的。

这时候静极了，街上没有一点儿声音。月光的脚步向来是没有声响的，它默默地进来，进来，架上的书终于都沐浴在月光中了。这当儿，要是这些书谈一阵话，说说彼此的心情和经历，你想该多好呢？

听，一个温和的声音打破了室内的静寂。

“对面几位新来的朋友，你们才生下来不久吧？看你们颜色这样娇嫩，好像刚从收生婆的浴盆里出来似的。”

开口的是一本中年的蓝面书，说话的声调像一位喜欢问东问西的和善的太太。

“不，我们出生也有二十多年了。”新来的朋友中有一个这样回答。那是一本红面子的精致的书，里面的纸整齐而洁白。“我们一伙儿一共二十四本，自从生了下来，就一同住在一家人家，没有分离过。最近才来到这个新地方。”

“那家人家很爱你们吧？”蓝面书又问，他只怕谈话就此截止。

“当然很爱我们，”红面书高兴地说，“那家人家的主人很有趣，凡是咱们的同伴他都爱，都要收罗到他家里。他家里的藏书室比这里大多了，可是咱们的同伴挤得满满的，没有一点儿空地方。书橱全是贵重的木料做的，有玻璃门，又有木门，可以轮替装卸。木门上刻着我们的名字，都是当今第一流大书法家的手笔。我们住在里面，舒服，光荣，真是无比的高等生活。像这里的书架子，又破又脏，老实说，我从来不曾见过。可是现在也得挤在这里，唉，我们倒霉了！”

蓝面书不觉跟着伤感起来，叹息道：“世间的事情，往往就这样料想不到。”

“不过，二十多年的优越生活也享受得够了。”红面书到底年纪轻，能自己把伤感的心情排遣开，又回忆起从前的快乐来。“那主人得到我们的时候，心头充满着喜悦。他脸上露出十二分得意的神色，告诉他的每一个朋友说，‘我又得到了一种很好的书！’他的声调既郑重，又充满着惊喜，可见我们的价值比珍宝还要贵重。每得到一种咱们的同伴，他总是这样。这是他的好处，他懂得待人接物应该平等。他把我们摆在贵重木料做的书橱里，从此再也不来碰我们——我们最安适的就是这一点。他每天在书橱外面看我们一回，从这边看到那边，脸上当然带着微笑，有时候还点点头，好像说：'你们好！'客人来了，他总不会忘记了说：'看看我的藏书吧。'朋友们于是跟他走进藏书室，像走进了宝库一样赞叹道：'好多的藏书啊！'他就谦逊道：'没有什么，不过一点点。可都是很好的书呢！'在许多的客人面前受这样的赞扬，我们觉得异常光荣。这二十多年的生活呀，舒服，光荣，我们真享受得够了！"

"那么你们为什么离开了他呢？"这个问题在蓝面书的喉咙口等候多时了。

"他破产了！不知道为什么。我们只见他忽然变了样子，眉头皱紧，没有一点笑意，时而搔头皮，时而唉声叹气。收买旧货的人有十几个，凌乱地在他家里各处翻看，其中一个就把我们送到这里来了。不知道许多同伴怎样了。也许他们迟来几天，在这里，我们将会跟他们重新相聚。"

"这才有趣呢。你们来到这里，因为主人破了产；而我们来到这里，却因为主人发了财。"

说话的是一本紫面金绘的书。这本书虽然不破，但是沾了好些墨迹和尘土，可见他以前的处境未必怎么好，也不过是又破又脏的书架子罢了。他的语调带着滑稽的意味，好像游戏场里涂白了鼻子引人发笑的角色。

"为什么呢？"蓝面书动了好奇心，禁不住问。

"发了财还会把你丢了！"红面书也有点不相信，"像我们从前的主人，假如不破产，他是永远不肯放弃我们的。"

“哈哈，你们不知道。我的旧主人为了穷，才需要我和我的同伴。等到发了财，他的愿望已经达到，我们对他还有什么用呢？他的经历很好玩，你们喜欢听，我就说给你们听听。反正睡不着，今晚的月光太好了。”

“我感谢你。”蓝面书激动地说，“近来我每晚失眠，谁跟我说个话儿，解解我的寂寞，我都感谢。何况你说的一定是很有趣的。”

“那么我就说。他是个要看书而没有书的人，又是个要看书而不看书的人。怎么说呢？他本来很穷，见到书铺子里满屋子的书，书里有各种的学问，他想：如果能从这些学问中间吸取一部分，只消最小最小的一部分，至少可以把自己的处境改善一点儿吧。但是他买不起书。那时候，他是要看书而没有书。后来，他好容易攒了一点钱，抱着很大的热心跑到书铺子里，买了几种他最想望的书。他看得真用心，把书里最微细的错误笔画都一一校出来了。靠他的聪明，他有了新的发现。他以为把整本书从头看到尾是很愚蠢的，简捷的办法只消看前头的序文。序文往往把全书的大要都讲明白了，知道了大要，不就是抓住了全书的灵魂吗？以后他买了书就按照他的新发现办，一直到他完全抛弃我们。因此，他的书只有封面沾污了，只有开头几页印上了他的指痕，此外全是干干净净的，只看我就是个榜样。你要是问他做什么，他当然是看书。但是单看一篇序文能算看书吗？所以我说，他要看书而不看书。”

“啊，可笑得很。他的发现哪里说得上聪明！”红面书像爽直的青年一样笑了。

“没有完呢！”紫面书故意用冷冰冰的口气说，“我还没有说到他的发财。你们知道他怎样发了财？他看了好几本书的序文，写了一篇文章，题目是《某某几本书的比较研究和批评》，投给了报馆。过了几天，报上把这篇文章登出来了，背后有主笔的按语，说这篇文章如何如何有意思，非博通各种学问的人是写不出来的。他得到了一笔稿费，这一快活真没法比拟。他想：'这才来了！改善处境的道路已经打开，大步朝前走吧！'于是他继续写文章，材料当然不用愁，有许许多多的书的序文在那里。稿费一笔一笔送到，名誉拍着翅膀跟了来，他渐渐成为了不起的人物。学校请他指定学生必读的书，图书馆请他鉴定古版书的真伪。报馆的编辑和演讲会的发起人等候在他的会客室里，一个说：'给我们写一篇文章吧！'一个说：'给我们做一回演讲吧！'他的回答常常是'没有工夫想'。请求的人于是说：'关于书，你是无所不知的，还用得着想吗？你的脑子犹如大海，你只要舀出一勺来，我们就像得到了最滋补的饮料了。'他迟疑再三，算是勉强答应下来。请求的人就飞一般回去，在报上刊登预告，把他的名字写得饭碗一样大，还加上'读书大家''博览群书'一类的字眼。有一天，他忽然想到计算他的财产。'啊，成了富翁了吗？'他半信半疑地喊了出来。他拧了一下自己的大腿，感觉到痛，知道并非在梦中。他就想自己已经成了富翁，何必再去看那些序文呢？可做的事情不是多着吗？他招了个旧货商来，把所有的书都卖了，从此他完全丢开我们了。现在，他已经开了个什么公司在那里。"

"原来是这样！"蓝面书自言自语，它听得出了神。

"在运走的时候，我从车上摔了下来。我躺在街头，招呼同伴们快来扶我。他们一个也没听见，好像前途有什么好境遇等着他们，心早已不在身上了。后来一个苦孩子把我捡起来，送到了这里。"紫面书停顿一下，冷笑说，"我心里很平静，不巴望有什么好境遇，只要能碰到一个真要看我的主人，我就心满意足了。”

“真要看书的主人，算我遇到得最多了。然而也没有什么意思。”说这话的是一本破书，没有封面，前后都脱落了好些页，纸色转成灰黑，字迹若有若无。它的声音枯涩，又夹杂着咳嗽，很不容易听清楚。

红面书顺着破书的意思说：“老让主人看确乎没有意思，时时刻刻被翻来翻去，那种疲劳怎么受得了。老公公，看你这样衰弱，大概给主人们翻得太厉害了。像我以前，主人从不碰我，那才安逸呢。”

“不是这个意思。”破书摇摇头，又咳嗽起来。

“那倒要听听，老公公是什么意思。”紫面书追问一句。它心里当然不大佩服，以为书总是让人看的，有人看还说没意思，那么书的种族也无妨毁掉了。

“你们知道我多大年纪？”破书倚老卖老地问。

“在这里没有一个及得上你，这是可以肯定的。你是我们的老前辈。”蓝面书抢出来献殷勤。

“除掉零头不算，我已经三千岁了。”

“啊，三千岁！古老的前辈！咱们的光荣！”许多静静听着没开过口的书也情不自禁地喊出来。

“这并不稀奇，我不过出生在前罢了，除了这一点，还不是同你们一样？”破书等大家安静下来，才继续往下说，“在这三千多年里头，我遇到的主人不下一百三十个。可是你们要知道，我流落到旧书铺里，现在还是第一次呢。以前是由第一个主人传给第二个，第二个又传给第三个，一直传了一百几十回。他们的关系是师生：老师传授，学生承受。老师干的就是依据着我教，学生干的就是依据着我学。传到第一二十代，学起来渐渐难了，等到明白个大概，可以教学生了，往往已经是白发老翁。再往后，当然也不会变得容易一些。他们传授的越来越少了，在这个人手里掉了三页，在那个人手里丢了五页，直把我弄成现在这副寒酸的样子。”

“老公公，你不用烦恼，”蓝面书怕老人家伤心，赶紧安慰他，“凡是古老的东西总是破碎不全的。破碎不全，才显得古色古香呢。”

“破碎不全倒也没有什么，”破书的回答出于蓝面书的意料，“我只为我的许多主人伤心。他们依据着我耗尽心力学，学成了，就去教学生。学生又依据着我耗尽心力学，学成了，又去教学生。我被他们吃进去，吐出来，是一代；再吃进去，再吐出来，又是一代。除了吃和吐，他们没干别的事。我想，一个人总得对世间做一点事。世间固然像大海，可是每一个人应该给大海添上自己的一勺水。我的许多主人都过去了，不能回来了，他们的一勺水在哪里呢！如果没有我，不把吃下去吐出来耗尽了他们的一生，他们也许能干点事吧。我为他们伤心，同时恨我自己。现在流落到旧书铺里，我一点不悲哀。假若明天落到了垃圾桶里，我觉得也是分所应得。”

“老公公说得不错。要看书的也不可一概而论。像老公公遇见的那许多主人，他们太要看书，只知道看书，简直是书痴了，当然没有什么意思。”紫面书十分佩服地说。

月光不知在什么时候默默地溜走了。黑暗中，破书又发出一声伤悼他许多主人的叹息。

皇帝的新衣

从前安徒生写过一篇故事，叫《皇帝的新衣》，想来看过的人很不少。

这篇故事讲一个皇帝最喜欢穿新衣服，就被两个骗子骗了。骗子说，他们制成的衣服漂亮无比，并且有一种神奇的力量，凡是愚笨的或不称职的人就看不见。他们先织衣料，接着就裁，就缝，都只是用手空比画。皇帝派大臣去看好几次。大臣没看见什么，但是怕人家说他们愚笨，更怕人家说他们不称职，就都说看见了，确是非常漂亮。新衣服制成的那一天，皇帝正要举行一种大礼，就决定穿了新衣服出去。两个骗子请皇帝穿上了新衣服。旁边伺候的人谁也没看见新衣服，可是都怕人家说他们愚笨，更怕人家说他们不称职，就一齐欢呼赞美。皇帝也就表示很得意，裸体走出去了。沿路的民众也像看得十分清楚，一致颂扬皇帝的新衣服。可是小孩子偏偏爱说实心话，有一个喊出来："看哪，这个人没穿衣服。"大家听到，你看看我，我看看你，都笑了，终于喊起来："啊！皇帝真是没穿衣服！"皇帝听得真真的，知道上了当，像浇了一桶凉水；可是事情已经这样，也不好意思再说回去穿衣服，只好硬着头皮往前走去。

以后怎么样呢？安徒生没说。其实是以后还有许多事情的。

皇帝一路向前走，硬装作得意的样子，身子挺得格外直，以致肩膀和后背都有点儿酸疼了。跟在后面给他拉着空衣襟的侍臣知道自己正在做非常可笑的事情，直想笑；可是又不敢笑，只好紧紧地咬住下嘴唇。护卫的队伍里，人人都死盯着地，不敢斜过眼去看同伴一眼；只怕彼此一看，就憋不住，哈哈大笑起来。

民众没有受过侍臣、护卫那样的训练，想不到咬紧嘴唇，也想不到死盯着地，既然说破了，说笑声就沸腾起来。

"哈哈，看不穿衣服的皇帝！"

"嘻嘻，简直疯了！真不害臊！"

"瘦猴！真难看！"

"吓，看他的胳膊和大腿，像煺毛的鸡！"

皇帝听到这些话，又羞又恼，越羞越恼，就站住，吩咐大臣们说："你们没听见这群不忠心的人在那里嚼舌头吗！为什么不管！我这套新衣服漂亮无比，只有我才配穿；穿上，我就越显得尊严，高贵：你们不是都这样说吗？这群没眼睛的浑蛋！以后我要永远穿这一套！谁故意说坏话就是坏蛋，反叛，立刻逮来，杀！就，就，就这样。赶紧去，宣布，这就是法律，最新的法律。"

大臣们不敢怠慢，立刻命令手下的人吹号筒，召集人民，用最严厉的声调把新法律宣布了。果然，说笑声随着停止了。皇帝这才觉得安慰，又开始往前走。

可是刚走出不很远，说笑的声音很快地由细微变得响亮起来。

"哈哈，皇帝没……"

"哈哈，皮肤真黑……"

“哈哈，看肋骨一根根……”

“他妈的！从来没有的新……”

皇帝再也忍不住了，脸气得一块黄一块紫，冲着大臣们喊：“听见吗？”

“听见了。”大臣们哆嗦着回答。

“忘了刚宣布的法律啦？”

“没，没……”大臣们来不及说完，就转过身来命令兵士，“把所有说笑的人都抓来！”

街上一阵大乱。兵士跑来跑去，像圈野马一样，用长枪拦截逃跑的人。人们往四面逃，有的摔倒了，有的从旁人的肩上窜出去。哭，叫，简直是乱成一片。结果捉住了四五十个人，有妇女，也有小孩子。皇帝命令就地正法，为的是叫人们知道他的话是说一不二，将来没有人再敢犯那新法律。

从此以后，皇帝当然不能再穿别的衣服。上朝的时候，回到后宫的时候，他总是裸着身体，还常常用手摸摸这，摸摸那，算作整理衣服的皱褶。他的妃子和侍臣们呢，本来也忍不住要笑的；日子多了，就练成一种本领，看到他黑瘦的身体，看到他装模作样，无论觉得怎么可笑，也装得若无其事，不但不笑，反倒像是也相信他是穿着衣服的。在妃子和侍臣们，这种本领是非有不可的；如果没有，那就不要说地位，简直连性命也难保了。

可是天地间什么事情都难免例外，也有因为偶尔不小心就倒了霉的。

一个是最受皇帝宠爱的妃子。一天，她陪着皇帝喝酒，为了讨皇帝的欢喜，斟满一杯鲜红的葡萄酒送到皇帝嘴边，一面撒着娇说：“愿你一口喝下去，祝你寿命跟天地一样长久！”

皇帝非常高兴，嘴张开，就一口喝下去。也许喝得太急了，一声咳嗽，酒喷出很多,落在胸膛上。

“啊呀!把胸膛弄脏了!”

“什么?胸膛!”

妃子立刻醒悟了,粉红色的脸变成灰色,颤颤抖抖地说:“不,不是;是衣服脏了……”

“改口也没有用!说我没穿衣服,好!你愚笨,你不忠心,你犯法了!”皇帝很气愤,回头吩咐侍臣:“把她送到行刑官那里去。”

又一个是很有学问的大臣。他虽然也勉强随着同伴练习那种本领,可是一看见皇帝一丝不挂地坐在宝座上,就觉得像个去了毛的猴子。他总怕什么时候不小心,笑一声或说错一句话,丢了性命。所以他假说要回去侍奉年老的母亲,向皇帝辞职。

皇帝说:“这是你的孝心,很好,我准许你辞职。”

大臣谢了皇帝,转身下殿,好像肩上摘去五十斤重的大枷,心里非常痛快,不觉自言自语地说:“这回可好了,再不用看不穿衣服的皇帝了。”

皇帝听见仿佛有“衣服”两个字,就问下面伺候的臣子:“他说什么啦?”

臣子看看皇帝的脸色,很严厉,不敢撒谎,就照实说了。

皇帝的怒气像一团火喷出来:“好!原来你是不愿意看见我,才想回去。——那你就永远也不用想回去了!”他立刻吩咐侍臣:“把他送到行刑官那里去。”

经过这两件事以后,无论在朝廷或后宫,人们都更加谨慎了。

可是一般人民没有妃子和群臣那样的本领,每逢皇帝出来,看到他那装模作样的神气,看到他那干柴一样的身体,就忍不住要指点,要议论,要笑。

结果就引起残酷的杀戮。皇帝祭天的那一回，被杀的有三百多人；大阅兵的那一回，被杀的有五百多人；巡行京城的那一回，因为经过的街道多，说笑的人更多，被杀的竟有一千多人。

人死得太多，太惨，一个慈心的老年大臣非常不忍，就想设法阻止。他知道皇帝是向来不肯认错的；你要说他错，他越说不错，结果还是你自己吃亏。妥当的办法是让皇帝自愿地穿上衣服；能够这样，说笑没有了，杀戮的事情自然也就没有了。他一连几夜没睡觉，想怎么样才能让皇帝自愿地穿上衣服。

办法算是想出来了。那老臣就去朝见皇帝，说："我有个最忠心的意思，愿意告诉皇帝。你向来喜欢新衣服，这非常对。新衣服穿在身上，小到一个纽扣都放光，你就更显得尊严，更显得荣耀。可是近来没见你做新衣服，总是国家的事情多，所以忘了吧？你身上的一套有点儿旧了，还是叫缝工另做一套，赶紧换上吧！"

"旧了？"皇帝看看自己的胸膛和大腿，又用手上上下下摸一摸，"没有的事！这是一套神奇的衣服，永远不会旧。我要永远穿这一套，你没听见我说过吗？你让我换一套，是想叫我难看，叫我倒霉。就看你向来还不错，年纪又大了，不杀你；去住监狱去吧！"

那老臣算是白抹一鼻子灰，杀人的事情还是一点儿也没减少。并且，皇帝因为说笑总不能断，心里很烦恼，就又规定一条更严厉的法律。这条法律是这样：凡是皇帝经过的时候，人民一律不准出声音；出声音，不管说的是什么，立刻捉住，杀。

这条法律宣布以后，一帮老成人觉得这太过分了，他们说，讥笑治罪固然可以，怎么小声说说别的事情也算犯罪，也要杀死呢？大伙就聚集到一起，排成队，走到皇宫前，跪在地上，说有事要见皇帝。

皇帝出来了，脸上有点儿惊慌，却装作镇静，大声喊："你们来干什么！难道要造反吗？"

一帮老成人头都不敢抬，连声说："不敢，不敢。皇帝说的那样的话，我们做梦也不敢想。"

皇帝这才放下心，样子也立刻像是威严高贵了。他用手摸摸其实并没有的衣襟，又问："那么你们是来做什么呢？"

"我们请求皇帝，给我们言论自由，给我们嬉笑自由。那些胆敢说皇帝、笑皇帝的，确是罪大恶极，该死，杀了一点儿也不冤枉。可是我们绝不那样，我们只要言论自由，只要嬉笑自由。请皇帝把新定的法律废了吧！"

皇帝笑了笑，说："自由是你们的东西吗？你们要自由，就不要做我的人民；做我的人民，就得遵守我的法律。我的法律是铁的法律。废了？吓，哪有这样的事！"他说完，就转过身走进去。

一帮老成人不敢再说什么。过了一会儿，有几个人略微抬起头来偷看看，原来皇帝早已走了；没有办法，大家只好回去。从此以后，大家就变了主意，只要皇帝一出来，就都关上大门坐在家里，谁也不再出去看。

有一天，皇帝带着许多臣子和护卫的兵士到离宫去。经过的街道，空空洞洞的，没有一个人；家家的门都关着。大街上只有嚓、嚓、嚓的脚步声，像夜里偷偷地行军一样。

可是皇帝还是疑心，他忽然站住，歪着头细听。人家的墙里像是有声音，他严厉地向大臣们喊："没听见吗！"

大臣们也立刻歪着头细听，赶紧瑟缩地回答：

“听见啦，是小孩子哭。”

“还有，是一个女人唱歌。”

“有笑的声音——像是喝醉了。”

皇帝的怒火又爆发了，他大声向大臣们吆喝：“一群没用的东西！忘了我的法律啦？”

大臣们连声答应几个“是”，转过身就命令兵士，把里面有声音的门都打开，不论男女，不论大小，都抓出来，杀。

没想到的事情发生了。兵士打开很多家的大门，闯进去捉人；这许多家的男男女女、大大小小就一拥跑出来。他们不向四外逃，却一齐扑到皇帝跟前，伸手撕皇帝的肉，嘴里大声喊：“撕掉你的虚空的衣裳！撕掉你的虚空的衣裳！”

这真是从来没见过的又混乱又滑稽的场面。男人的健壮的手拉住皇帝的枯枝般的胳膊，女人的白润的拳头打在皇帝的黑黄的胸膛上，有两个孩子也挤上来，一把就揪住皇帝腋下的黑毛。人围得风雨不透，皇帝东窜西撞，都被挡回来；他又想蹲下，学刺猬，缩成一个球，可是办不到。最不能忍的是腋下痒得难受，他只好用力夹胳膊，可是也办不到。他急得缩脖子，皱眉，掀鼻子，咧嘴，简直难看透了，惹得大家哈哈大笑。

兵士从各家回来，看见皇帝那副倒霉的样子，活像被一群马蜂螫得没法办的猴子，也就忘了他往常的尊严，随着大家哈哈笑起来。

大臣们呢，起初是有些惊慌的，听见兵士笑了，又偷偷看看皇帝，也忍不住哈哈笑起来。

笑了一会儿，兵士和大臣们才忽然想到，原来自己也随着人民犯了法。以前人民笑皇帝，自己帮皇帝处罚人民，现在自己也站在人民一边了。看看皇帝，身上红一块紫一块，哆嗦成一团，活像水淋过的鸡，确是好笑。好笑的就该笑，皇帝却不准笑，这不是浑蛋法律吗？想到这里，他们也随着人民大声喊："撕掉你的虚空的衣裳！撕掉你的虚空的衣裳！"

你猜皇帝怎么样？他看见兵士和大臣们也倒向人民那一边，不再怕他，就像从天上掉下一块大石头砸在头顶上，身体一软就瘫在地上。

蚕和蚂蚁

撒撒，撒，像秋天细雨的声音，所有的蚕都在那里吃桑叶。它们也不管桑叶是好是坏，只顾往下吞，好像它们生到世上来，只有吃桑叶一件大事。

不大一会儿，桑叶光了，只剩下一些脉络。蚕的灰白色的身体完全露出来，连成一个平面，在那里波动。养蚕的人来了，又盖上大批桑叶，撒撒撒的声音跟着响起来，并且更响了，像一阵秋风吹过，送来紧急的雨声。

蚕里有一条，蹲在竹器的边上，挺着胸，抬着头，不吃桑叶，并且一动也不动。它是要入眠吗？是吃得太饱吗？不，都不是，它是正在那里想。看它那副神气，俨然是个沉默深思的思想家。

不管什么事情，只要能想，到底会弄明白的。

它先想自己生在世上究竟为了什么，是不是专为吃桑叶这件大事。它查考祖先的历史，看它们的经历怎么样。祖先是吃够了桑叶做成茧，人们把茧扔到开水里，抽出丝来织成绸缎，做成华丽的衣裳。它明白了，蚕生到世上来，唯一的大事是做茧。吃桑叶并不是大事，只是一种手段，不吃桑叶就做不成茧，为做茧就得先吃桑叶。想到这里，它灰心极了，辛辛苦苦一辈子，原来是为那全不相干的“人”！它再不想吃桑叶了，只是挺着胸，抬着头，一动也不动地蹲在竹器边上。

又一批新桑叶盖到蚕身上，急雨似的声音又紧跟着响起来。只有它，连看都不看。

左近有个细微的声音招呼它："朋友，又上新菜啦！怎么不吃啊？客气可就吃不着啦。"

它头也不回，自言自语地说："你们只知道'吃'，'吃'！我饱得很，太饱了，不想吃！"

"你一定在什么地方吃了更好的东西吧？"话刚说完，来不及等答话，嘴早就顺着桑叶边缘一上一下地啃去了。

"更好的东西！你们就不能把'吃'扔下，动动脑筋吗？我饱了，是因为厌恶，很深的厌恶！"

"你厌恶什么？"

"厌恶什么？厌恶工作。没有比工作更讨厌的了。从今以后，我决定不再工作。我刚编一个歌，唱给你听听。"它就唱起来：

什么叫工作！
没意思，没道理，
什么也得不着，白费力气。
我们不要工作，
看看天，望望地，
一直到老死，乐得省力气。

但是跟它说话的那条蚕还没听完它的新歌，就爬到另一张桑叶的背面去了。其余的蚕全没留心有个朋友决心不吃桑叶的事。

> 什么叫工作！
>
> 没意思，没道理，
>
> …………

它一边唱，一边爬，就到了竹器的外边。既然决定不再工作，何妨离开工作的地方呢？并且，那些糊里糊涂只知道吃的同伴，也实在叫人看着生气。它从木架上往下爬，恨不得赶紧离开，脚的移动就加快，不大工夫就爬到屋子外边的地面上。它站住，听听，听不见同伴吃桑叶的声音了，就挺起胸，抬起头，开始过那“看看天，望望地”的“不要工作”的日子。

忽然像针刺似的，它觉着尾巴那儿一阵痛，身体不由自主地扭动一下，连忙回头看，原来是一个蚂蚁。

那蚂蚁自言自语地说：“想不到还是活的。”

“你以为我是死的吗？”

“你像掉在地上的一节干树枝，我以为至少死了三天了。”

“你看我身体干瘦吗？”

“不错。你既然还活着，为什么这样干瘦呢？”

“你知道我决心不吃东西了吗？”

“你这是怎么啦？为什么想自杀，把自己饿死？”

“我厌恶工作。我看透了，吃东西只是为了工作，我不想再吃了。小朋友,我有个新编的歌,唱给你听听。”

蚂蚁听蚕有气没力地唱它的宣传歌,忍不住笑了,它说:“哪里来的怪思想！不要工作,这不等于不要生命,不要种族了吗?”

蚕呆呆地看了蚂蚁一眼,叹息着说:“生命和种族,我看也没什么意思。开水里煮,丝一条条地抽出去,想起这些事,我眼前就一团黑。”

“我从来没听见过这样的话,大概你工作太累,神经有点儿昏乱了。我们也有歌,唱给你听听,让你清醒一下吧。”

“你们也有歌?”

“有。我们都能唱。唱起歌来,像是精神开了花。”

说着,蚂蚁就用触角一上一下地打着拍子,唱起歌来:

我们赞美工作,
工作就是生命。
它给我们丰富的报酬,
它使我们热烈地高兴。
我们全群繁荣,
我们个个欣幸。
工作！工作！
——我们永远的歌声。

蚂蚁唱完了,哈哈大笑,接着就仰起头,摇动着腿,跳起舞来。蚂蚁一边跳一边问:“我们的歌比你那倒霉的歌怎么样?你说谁有光明的前途?”

蚕猜想那小东西一定也是什么都不知道的，跟那些死守在竹器里吃桑叶的同伴一模一样，不然，就想不透它这一团高兴是哪儿来的。就问："难道没有一锅开水等着你们吗？"

蚂蚁摇摇头，说："我们喜欢喝凉水，渴了，我们就到那边清水池子里去喝。"

"不是说这个。是说没有'人'用开水煮你们抽丝吗？"

"什么叫'人'？我不懂。"

蚕想解释，可是不知道怎么说才好。停一会儿，它决定从另一个方面问："难道你们的工作不是白做的吗？"

"你怎么问这个？"蚂蚁很惊奇，"世界上哪会有白做的工作！"

"我的意思正跟你相反，世界上哪会有不白做的工作！"

"你不信？去看看我们就明白了。我们的工作没有白做的，只要费一点儿力，就能对全群有贡献，给全群增福利。"

"我想不出来你说的那样的事，我只知道工作的结果是全群叫开水煮死。"

蚂蚁有些不耐烦："顽固的先生，怎么跟你说你也明白不了，只有亲眼去看，你才知道我不是骗你。我现在有工作，还要去找吃的，不能陪你去，给你一封介绍信吧。"说着，伸出前腿，把介绍信交给蚕——介绍信上的字，要是人类，就得用很好的显微镜才能看见。

蚕接了介绍信，懒懒地说："谢谢你。我反正不想工作，在这儿也没事做，去看看也好。"

它们分别了。蚂蚁匆匆地跑去，跑一段路，停一会儿，四外看看，换个方向，又匆匆地跑去。蚕懒洋洋地爬着，好像每个环节移动一点儿都要停好久似的。

蚕慢慢爬，爬，终于到了蚂蚁的国土。它把介绍信递给门前的守卫，就得到很热诚的招待。它们领着它去参观各种工作：运粮食，开道路，造房屋，管孩子；又领着它参观各种地方：隧道，礼堂，育儿室，储藏室。它好像到了另一个世界，看它们个个都有精神，卖力气，忙碌，可是也很愉快，真是工作就是它们的生命。最后，都看完了，它们开会招待它，大家合唱以前那个蚂蚁唱给它听的那首歌：

我们赞美工作，
工作就是生命。
它给我们丰富的报酬，
它使我们热烈地高兴。
我们全群繁荣，
我们个个欣幸。
工作！工作！
——我们永远的歌声。

蚕细心听着，听到“工作！工作！——我们永远的歌声”那儿，眼泪忍不住掉下来。它这才相信，世界上真有不是白做的工作，蚂蚁们赞美工作确实有道理。

熊夫人幼稚园

儿童刊物《儿童世界》登载过一种连环画，接连有好多期，叫作《熊夫人幼稚园》。在那熊夫人开设的幼稚园里，有虎儿、鸡儿、猴儿、猪儿、象儿、麒麟等孩子，他们很淘气，常常想方设法作弄熊夫人，结果受到熊夫人的训诫和斥责。故事都非常有趣，小朋友看了总不会忘记。有些小朋友也许会在梦里走进那个幼稚园，跟虎儿猴儿们一起玩呢。

现在讲的是那个幼稚园最末了的故事。

熊夫人是一位热心的真诚的教育家。什么叫作教育家？就是教导孩子们，养护孩子们，使孩子们样样都好，样样都长进的。教育家前头又加上“热心的”和“真诚的”，可知熊夫人绝不是随随便便的、马马虎虎的教育家。她当教育家不惜用全副的精神，并且希望收到完满的效果。

一天午后，孩子们刚从午睡醒来，大家神清气爽，一对对小眼睛看着熊夫人闪闪地发光。他们都一声不响，仿佛在等候熊夫人嘴里出现什么神奇的故事。熊夫人看孩子们这样安静，心里十分愉快。她想：这时刻不像平常那样闹嚷嚷的，如果把早就想问他们的问题在这时刻提出来，真是再适宜没有的了。

熊夫人轻轻拍了几下手掌——这是她的习惯，跟孩子们说话之前总得先拍几下手掌，然后用她那温和的语调说："孩子们，我要问你们几句话，请你们各自回答我，说得越仔细越好。你们怎么想就怎么说，不要隐藏一丝儿在脑子里。"

象儿有点呆气，但是很听熊夫人的话。他说："知道了，我绝不隐藏一丝儿。老师，您要是不相信，可以剖开我的脑壳来看。"

猴儿性急，他想起前一回猜中了谜语，得到熊夫人奖赏的糖果，不禁咽了一口唾沫。他盖住孩子们的笑声，喊着说："老师您快问吧。我们回答得仔细，您可不要舍不得糖果。"

"糖果！""糖果！"孩子们的舌尖上仿佛感到有点儿甜，都咂起嘴来。

"现在我发问了，"熊夫人又拍了几下手掌，引起孩子们的注意，"你们为什么要到我这里来？这句话明白吗？换一句话说，就是你们要从我这里得到些什么？你们各自把想望的告诉我吧，最明白自己的莫过于自己。"

虎儿的手立刻举起来了，身子也耸起了半截。接着，别的孩子也举起手，都表示愿意回答。

熊夫人感激地笑了。她指着虎儿说："照我们平时的规则，虎儿先举手，你先说给我听。"

虎儿得意地站起来，捋着虎须，一双眼珠子向四周一扫，表示他的威武。他响亮地说："老师，您当然知道我属于怎样一个种族。我们是喝别种动物的血、吃别种动物的肉过日子的。就是眼前这些同学，他们的祖先大半进了我们的祖先的胃肠！"

像鸡儿那样比较弱小的孩子，听到这话不禁浑身颤抖，眼睛定定的，好像大祸就在面前。象儿却不觉得什么,他带着嘲笑的口气提醒虎儿说:“虎儿,这里不是山林,难道你要学你的祖先,做出些不体面的事来吗?”

“不,”虎儿直爽地回答,“我现在年纪还小,还在吃奶,不必学我的祖先。但是生活方法天然注定,非吃喝别种生物的血肉不可,这有什么法想?我将来一定得跟我的祖先一样生活,这是无须忌讳的。”他转向熊夫人说:“老师,因为我将来一定得跟我的祖先一样生活,所以要请您指导,练成跟我的祖先一样的本领。我们有一种特别的技能,叫作‘虎啸’,伸长了脖子呼啸一声,能使周围的动物个个失魂丧魄,寻不见逃生的路,只好伏在那里等待我们走过去开宴。这种技能,我是必须练成的,希望您好好地给我指导。我们又有一种扑攫的功夫。别的动物离我们还比较远,我们能够像生了翅膀似的扑过去把他攫住,又一定攫住大动脉的部位,使他无论如何不能逃生,还便于吸尽他的最精华的血液。这种功夫也是我必须练成的,希望您给我好好地指导。此外没有了。”

熊夫人闭了闭眼睛,把虎儿的话想过一遍,记住他所希望的是什么,然后向鸡儿点头问道:“鸡儿,现在轮到你了。你想望些什么?回答我,要像虎儿说的那样清楚。”

鸡儿不先开口,他的头向左边一侧,又向右边一侧,表示他想得很深,想得很苦。“老师,我们种族的命运,大概您不会不知道吧。生下可爱的蛋来,一会儿就不见了。走到垃圾桶旁边,经常看见蛋壳的碎片。我们一家老小往往不能守在一块,不是丢了爷,就是抛了娘。什么地方去了呢?正如刚才虎儿说的,进了别种动物的胃肠,就此完了!我想这样的世界太不对了,为什么要用这一种动物的血和肉来养活那一种动物呢?被吃掉的太苦痛了,吃掉人家的太残酷了。改变过来吧,让世界上没有被吃掉的,也没有吃掉人家的吧。这不是办不到的事,只要改变大家的心,改变大家的习惯。老师,我虽然只是个小的生命,我的志愿可不小。我要劝说人家,把心改变过来,再不要做那种太残酷的事了。从近便的开头,自然先轮到同学虎儿,他年纪还小,残酷的习惯还没有养成。至于我自己,我已经打定主意不吃那些小虫子了,吃些菜叶谷粒一样过日子。但是用什么方法劝说人家才能见效呢?我现在一点把握也没有,希望老师好好地指导我。就是这么一点要求,再没别的了。"

"我绝不听他的劝说。"虎儿举起手抢着说,不等熊夫人开口,"他说的是一种可笑的空想。没有被吃掉的,也没有吃掉人家的,这还成什么世界!不如说索性不要这个世界倒来得彻底些。他那种族的命运不大好,我相信;但是这应该怪他自己,他为什么要做鸡儿,为什么不做我虎儿呢?鸡儿生来就是预备被吃掉的。"

熊夫人听了虎儿的话,心里有点糊涂,鸡儿说得有道理,虎儿说的正相反,可是似乎也有道理。她怕虎儿当场就做出没规矩的事来,破坏幼稚园的和平,就用不太严重的口气禁止他说:"虎儿,我没有叫你说话,你等会儿再说。现在猪儿站起来回答我吧。要注意你的鼻音。你的鼻音太重了,有时候人家听不清楚你的话。"

猪儿说:"我的命运完全跟鸡儿一样,不必多说。可是我的意思完全跟鸡儿不同。你想劝说人家,不要再做太残酷的事,虎儿说这是空想,我说你简直在做梦!力量只有用力量去抵挡。一边是力量,一边却空空的一无所有,吃亏是当然的。我想我们种族从前也有过光荣的时代,生活在山林之中，长着锋利的牙齿，奔驰来去，谁也不敢欺侮。只因后来改由人家饲养，一切生活就受人家的支配。人家给我们吃点东西，归根结底为了长胖他们自己的身体。我们的同伴又彼此分散，有的在这一家，有的在那一家，不能互相联络，这才落到现在这样倒霉的地步！然而我并不悲伤，我望见前面有重见光明的道路。如果我们全体能够联络在一起，就是非常伟大的力量，哪怕是虎儿的种族，也尽可以同他们对垒一下！”猪儿说到这里，一双小眼睁得很大，放射出勇敢的光辉。孩子们都觉得今天猪儿跟平时大不相同，他激昂慷慨，竟像一个准备临阵的战士。

虎儿又抢着说：“好，将来咱们对垒一下，看到底谁胜谁负！”

“虎儿你不要开口。猪儿，把你的话说完了。”熊夫人皱起眉头，看看虎儿又看看猪儿。

猪儿摇着他的大耳朵继续说：“我们可以立定志向，生活不再受人家的支配；永远拒绝那为人家的肥胖而吃东西的事。我们吃东西只为我们自己要生活。这样，光荣的时代就回来了！现在要老师指导我的是实现我这志愿的方法。彼此分散的同伴怎样才能联络在一起呢？大家一致的志向怎样才能立定呢？亲爱的老师，等到我明白了这些方法，我就好去做我要做的事了！”

“唔！”熊夫人从眼镜上面看着猪儿。她想，这是又一套希望，很值得同情，也得给他满足才好。但是幼稚园里教孩子只能走一条道路，如果依着猪儿的希望，就不能满足虎儿和鸡儿；依着虎儿的或者鸡儿的，情形也相同。到底走哪一条道路好呢？她委实决定不下来。她心里很乱，好像一个没有主意的人到了岔路口，不知往哪个方向走才好。她只好再问：“麒麟，你希望我给你些什么呢?”

麒麟是个非常漂亮的孩子。他站起来,昂着头说:“爸爸妈妈送我到这里来以前,曾经这样说:‘孩子,我们是高贵的种族,这一句话你必须永远牢记!我们昂着头,专吃那树顶上的叶子,这就是高贵种族的一个证据。我们当然不用干什么活,只有牛呀马呀那些贱东西才干活。但是你在家里太寂寞了,怕会闷出病来。送你到幼稚园去,让你跟孩子们玩玩,消磨那悠闲的岁月吧。’于是我到这里来了。老师,您什么也不必教给我,只须让我安安适适消磨闲岁月就是。”

“原来如此!”熊夫人感到不大愉快,只点了点头,表示听明白了。她又问猴儿:“猴儿,你又怎么说?”

猴儿听熊夫人唤到他,身子一跃,就站在椅子背上,眼睛骨碌碌地乱转,像个玩杂耍的孩子。他说:“老师,您总该读过《西游记》吧?《西游记》里有个孙行者,他偷过王母娘娘的蟠桃。我也想吃王母娘娘的蟠桃,可是不知道怎样上天去,怎样把蟠桃偷到手。这一件您教给了我,我感激您三千年,三万年!”

“要我教你偷……”熊夫人气得再也说不下去。她全身索索发抖,把眼镜抖了下来,露出两颗定定地瞪着的眼珠。

第二天,幼稚园关门了,因为熊夫人想了一夜,拿不定主意依哪个孩子的希望来教才好。她知道,不拿定主意胡乱教下去是没意思的。她就把孩子们一个个送回家去,把“熊夫人幼稚园”的牌子摘了下来。

月姑娘的亲事

据说，曾经有过这样的事儿：

月姑娘要挑选一个最有用的丈夫。人家猜想，她会选中太阳吧？可是她嫌太阳太懦弱无用了，每天呆呆地站在天空中，什么事儿也不干。她不愿意有那样的丈夫。

月姑娘听说世界上最有用的是电。他能够变成光，像太阳一样照耀；他能够变成热，像木柴煤炭一样煮东西；他能够变成力量，像牛和马一样拉车，像人一样做工：电才是她所想望的丈夫。她请专替人做媒的月下老人到电那里去，问电要不要娶她做妻子。

月下老人非常高兴地跑去，他以为月姑娘那样漂亮，她的婚事一定一说就成功。他找到了电，眯着老花眼说："恭喜你，你的运气来了！那位月姑娘——世界上最美丽的一位——爱上你了！她叫我来替她做媒，可不是你的运气来了？"

电觉得很奇怪，他问："你可知道她为什么爱上了我？"

月下老人说："她说你是世界上最有用的一个，能够做一切伟大的工作。她说只有你才配做她的丈夫。"

电摇头说:“她要嫁给世界上最有用的一个,我就不配做她的丈夫了。她说我有用,那没有错;可是我还得靠着煤。我的老家是发电机,一定要等燃烧着的煤给了我力量,我才能够跑出来做各种各样的工作。这样看来,煤比我更有用,请月姑娘嫁给煤吧。如果嫁了我,她将来会失望的。我怕她将来失望,只好辜负她的好意了。”

月下老人觉得电的话很有道理,就去回复月姑娘,说这桩亲事没说成。月姑娘听说煤比电更有用,就请月下老人到煤那儿去,替她说亲。

月下老人找到了煤,又眯着老花眼说:“煤先生,月姑娘听说你是世界上最有用的一个,能够把力量给电先生,使他做一切伟大的工作。因此她爱上了你,特地叫我来替她做媒。”

煤没料到会有这样的事儿,很惭愧地说:“月姑娘的好意,我十分感激。只是我年纪老了,加上隐居在地底下几千万年,弄得浑身黢黑,万万配不上那样漂亮的月姑娘。请您老先生替我婉言谢绝了吧。你老先生果真要替月姑娘做媒,我看还是把植物先生介绍给她吧。植物先生是我的本家,年纪可比我轻多了。”

月姑娘又请月下老人去找植物。植物听月下老人说明了来意,也不敢答应。他埋怨说:“煤把我介绍给月姑娘,真是老糊涂了。月姑娘要挑选的是世界上最有用的一个,我虽然有用,哪儿说得上最有用呢?世界上最有用的是太阳先生。就说我吧,我所有的力量都是他给的;要是没有他,我就不能摄取泥土里和空气中的养料,做成我的血和肉。请您老先生告诉月姑娘吧:太阳是世界上一切力量的泉源,是世界上最有用的一个。要是没有太阳,也就不会有植物,不会有煤,不会有电了。”

月姑娘听了月下老人的回复,很是发愁。

月下老人安慰她说:“好姑娘,不用烦恼。太阳既然是世界上最有用的一个,你就嫁给他吧。看他呆呆地站在天空中,好像什么事儿也不干,实际上他做的却比谁都多呢。你还犹豫什么呢?我到太阳那儿去了,这一回保你一说就成功。”

月姑娘望着月下老人渐渐远去的背影,一声不响,她默默地同意了月下老人的建议。

"鸟言兽语"

一只麻雀和一只松鼠在一棵柏树上遇见了。

松鼠说:"麻雀哥,有什么新闻吗?"

麻雀点点头说:"有,有,有。新近听说,人类瞧不起咱们,说咱们不配像他们一样张嘴说话,发表意见。"

"这怎么说的?"松鼠把眼睛眯得挺小,显然正在仔细想,"咱们明明能够张嘴说话,发表意见,怎么说咱们不配?"

麻雀说:"我说得太简单了。人类的意思是他们的说话高贵,咱们的说话下贱,差得太远,不能相比。他们的说话值得写在书上,刻在碑上,或者用播音机播送出去。咱们的说话可不配。"

"你这新闻从哪儿来的?"

"从一个教育家那里。昨天我飞出去玩,飞到那个教育家屋檐前,看见他正在低头写文章。看他的题目,中间有'鸟言兽语'几个字,我就注意了。他怎么说起咱们的事情呢?不由得看下去,原来他在议论人类的小学教科书。他说一般小学教科书往往记载着'鸟言兽语',让小学生跟鸟兽作伴,这怎么行!他又说许多教育家都认为这是人类的堕落,小学生净念'鸟言兽语’，一定弄得思想不清楚，行为不正当，跟鸟兽没有分别。最后他说小学教科书一定要完全排斥‘鸟言兽语’，人类的教育才有转向光明的希望。”

松鼠举起右前腿搔搔下巴，说：“咱们说咱们的话，原不预备请人类写到小学教科书里去。既然写进去了，却又说咱们的说话没有这个资格！要是一般小学生将来真就思想不清楚，行为不正当，还要把责任记在咱们的账上呢。人类真是又糊涂又骄傲的东西！”

“我最生气的是那个教育家不把咱们放在眼里。什么叫‘让小学生跟鸟兽作伴，这怎么行’！什么叫‘一定弄得思想不清楚，行为不正当，跟鸟兽没有分别’！人类跟咱们作伴，就羞辱了他们吗？咱们的思想就特别不清楚，行为就特别不正当吗？他们的思想就样样清楚，行为就件件正当吗？”麻雀说到这里，胸脯挺得高高的，像下雪的时候对着雪花生气那个样子。

松鼠天生是聪明的，它带着笑容安慰麻雀说：“你何必生气？他们不把咱们放在眼里，咱们可以还敬他们，也不把他们放在眼里。什么事情都得切实考察，才能够长进知识，增多经验。我现在想要考察的是人类的说话是不是像他们想的那么高贵，究竟跟咱们的‘鸟言兽语’有怎样的差别。”

“只怕比咱们的‘鸟言兽语’还要下贱，还要没有价值呢！”麻雀还是那么气愤愤的。

“麻雀哥，你这个话未免武断了。评论一件事情，没找到凭据就下判断叫作武断。武断是不妥当的，我希望你不要这样。咱们要找凭据，最好是到人类住的地方去考察一番。”

“去，去，去，”麻雀拍拍翅膀，准备起程，“我希望此去找到许多凭据，根据这些凭据，咱们在咱们的小学教科书里写，世间最下贱最没价值的是‘人言人语’,咱们鸟兽说话万不可像人类那样!”

“你的气还是消不了吗?好,咱们起程吧。你在空中飞,我在树上地下连跑带跳,咱们的快慢可以差不多。”

麻雀和松鼠立刻起程,经过密密簇簇的森林,经过黄黄绿绿的郊野,到了人类聚集的都市,停在一座三层楼的屋檐上。

都市的街道上挤着大群的人,只看见头发蓬松的头汇合成一片慢慢前进的波浪,也数不清人数有多少。走几步,这些人就举起空空的两只手,大声喊:“我们有手,我们要工作!”一会儿又拍着瘪瘪的肚皮,大声喊:“我们有肚子,我们要吃饭!”全体的喊声融合成一个声音,非常响亮。

听了一会儿,松鼠回头跟麻雀说:“这两句‘人言人语’并不错呀。有手就得工作,有肚子就得吃饭,这不是顶简单顶明白的道理吗?”

麻雀点点头,正要说话,忽然看见下边街道上起了骚动。几十个穿一样衣服的人从前边跑来,手里拿着白色短木棍,腰里别着黑亮的枪,到大群人的跟前就散开,举起短木棍乱摇乱打,想把大群人赶散。可是那大群人并没散开,反倒挤得更紧了,头汇合成的波浪晃荡了几下,照样慢慢地前进。

“我们有手,我们要工作!”

“我们有肚子,我们要吃饭!”

手拿短木棍的人们生气了,大声叫:“不许喊!你们是什么东西,敢乱喊!再像狗一样乱汪汪,乌鸦一样乱聒噪,我们就不客气了!”

麻雀用翅膀推松鼠一下,说:“你听,你刚才认为并不错的两句‘人言人语’,那些拿短木棍的人却认为‘鸟言兽语’,不准他们说。我想这未必单由于糊涂和骄傲,大概还有别的道理。”

松鼠连声说："一定还有别的道理，一定还有别的道理，只是咱们一时还闹不清楚。不过有一桩，我已经明白了：人类把自己不爱听的话都认为'鸟言兽语'，狗汪汪啦，乌鸦聒噪啦，此外大概还有种种的说法。"

麻雀说："他们的小学教科书排斥'鸟言兽语'，想来就为的这一点。"

松鼠和麻雀谈谈说说，下边街道上的大群人渐渐走远了。远远地看着，短木棍还是迎着他们的面乱摇乱打，可是他们照样挤在一块儿，连续不断地发出喊声。又过一会儿，他们拐到左边街上去，人看不见了，喊声也不像刚才那么震耳了。松鼠拍拍麻雀的后背，说："咱们换个地方看看吧。"

"好。"麻雀不等松鼠说完，张开翅膀就飞。松鼠紧跟着麻雀的后影，在接接连连的屋顶上跑，也很方便。

大约赶了半天的路程，它们到了个地方。一个大空场上排着无数军队，有步队，有马队，有炮队，有飞机，有坦克，队伍整齐得很，由远处看，像是很多大方块儿，刚用一把大刀切过似的。这些队伍都面对着一座铜像。那铜像雕的是一个骑马的人，头戴军盔，两撇胡子往上撅着，真是一副不可一世的气概。

麻雀说："这里是什么玩意儿？咱们看看吧。"它说着，就落在那铜像的军盔上。松鼠一纵，也跳上去，藏在右边那撇胡子上，它还顺着胡子的方向把尾巴撅起来。这么一来，从下边往上看，就只觉那铜像在刮胡子的时候少刮了一刀。

忽然军鼓打起来了，军号吹起来了，所有的军士都举手行礼。一个人走上铜像下边的台阶，高高的颧骨，犀牛嘴，两颗突出的圆滚滚的眼珠。他走到铜像跟前站住，转过来，脸对着所有的军士，就开始演说。个个声音都像从肚肠里迸出来的，消散在空中，像是一个个炸开的爆仗。

“咱们的敌人是世界上最野蛮的民族，咱们要用咱们的文明去制服他们！用咱们的快枪，用咱们的重炮，用咱们的飞机，用咱们的坦克，叫他们服服帖帖地跪在咱们脚底下！他们也敢说什么抵抗，说什么保护自己的国土，真是猪的乱哼哼，鸭子的乱叫唤！今天你们出发，要拿出你们文明人的力量来，叫那批野蛮人再也不敢乱哼哼，再也不敢乱叫唤！”

“又是把自己不爱听的话认为‘鸟言兽语’了。”松鼠抬起头小声说。

麻雀说：“用快枪重炮这些东西，自然是去杀人毁东西，怎么倒说是文明人呢？”

“大约在这位演说家的‘人言人语’里头，‘文明’‘野蛮’这些字眼儿的意思跟咱们了解的不一样。”

“照他的意思说，凶狠的狮子和蛮横的鹰要算是顶文明的了。可是咱们公认狮子和鹰是最野蛮的东西，因为它们太狠了，把咱们一口就吞下去。”

松鼠冷笑一声说：“我如果是人类，一定要说这位演说家说的是‘鸟言兽语’了。”

“你看！”麻雀叫松鼠注意，“他们出发了。咱们跟着他们去吧，看他们怎么对付他们说的那些野蛮人。”

松鼠吱溜一下子从铜像上爬下来，赶紧跟着军队往前走。后来军队上了渡海的船，松鼠就躲在他们的辎重车里。麻雀呢，有时落在船桅上，有时飞到辎重车旁边吃点儿东西，跟松鼠谈谈，一同欣赏海天的景色，彼此都不寂寞。

几天以后，军队上了岸，那就是野蛮人的地方了。麻雀和松鼠到四外看看，同样的山野，同样的城市，同样的人民，看不出野蛮在哪里。它们就离开军队，往前行进，不久就到了一个大广场。场上也排着军队。看军士手里，有的拿着一支长矛，有的抱着一杆破后膛枪，大炮一尊也没有，飞机坦克更不用说了。

"麻雀哥，我明白了。"

"你明白什么了？"

松鼠用它的尖嘴指着那些军队说："像这批人没有快枪、大炮、飞机、坦克等等东西，就叫野蛮。有这些东西的，像带咱们来的那批人，就叫文明。"

麻雀正想说什么，看见一个人走到军队前边来，黑黑的络腮胡子，高高的个子，两只眼睛射出愤怒的光。他提高嗓子，对军队作下面的演说：

"现在敌人的军队到咱们的土地上来了！他们要杀咱们，抢咱们，简直比强盗还不如！咱们只有一条路，就是给他们一个强烈的抵抗！"

"给他们一个强烈的抵抗！"军士齐声呼喊，手里的长矛和破后膛枪都举起来，在空中摆动。

"哪怕只剩最后一滴血，咱们还是要抵抗，不抵抗就得等着死！"

麻雀听了很感动，眼睛里泪汪汪的。它说："我如果是人类，凭良心说，这里的人说的才是'人言人语'呢。"

但是松鼠又冷笑了。"你不记得前回那位演说家的话吗？照他说，这里的人说的全是猪的乱哼哼，鸭子的乱叫唤呢。"

麻雀沉思了一会儿，说："我现在才相信'人言人语'并不完全下贱，没有价值。我当初以为'人言人语'总不如咱们的'鸟言兽语'，你说这是武断，的确不错，这是武断。"

“我看人类可以分成两批，一批人说的有道理，另一批人说的完全没道理。他们虽然都自以为‘人言人语’，实在不能一概而论。咱们的‘鸟言兽语’可不同，咱们大家按道理说话，一是一，二是二，一点儿没有错儿。‘人言人语’跟‘鸟言兽语’的差别就在这个地方。”

嗡——嗡——嗡——

天空有鹰一样的一个黑影飞来。场上的军士立刻散开，分成许多小队，往四外的树林里躲。那黑影越近越大，原来是一架飞机，在空中绕了几个圈子，就扔下一颗银灰色的东西来。

轰！

随着这惊天动地的声音，树干、人体、泥土一齐飞起来，像平地起了个大旋风。

麻雀吓得气都喘不过来，张开翅膀拼命地飞，直飞到海边才停住。用鼻子闻闻，空气里好像还有火药的气味。

松鼠比较镇静一点儿。它从血肉模糊的许多尸体上跑过，一路上遇见许多逃难的人民，牵着牛羊，抱着孩子，挑着零星的日用东西，只是寻不着它的朋友。它心里想：“怕麻雀哥也成为血肉模糊的尸体了！”

经典译林

Yilin Classics

书名	单价	书名	单价
癌症楼	78.00 元	艾青诗集	35.00 元
爱的教育	39.00 元	爱丽丝漫游奇境	29.00 元
安娜·卡列尼娜	65.00 元	安徒生童话选集	42.00 元
傲慢与偏见	36.00 元	奥德赛	92.00 元
八十天环游地球	32.00 元	巴黎圣母院	42.00 元
白洋淀纪事	39.00 元	百万英镑	35.00 元
包法利夫人	38.00 元	悲惨世界（上、下）	98.00 元
背影	28.00 元	被侮辱与被损害的人	39.00 元
边城	36.00 元	变色龙：契诃夫中短篇小说集	39.00 元
变形记 城堡	38.00 元	草叶集：惠特曼诗选	39.00 元
茶馆	32.00 元	茶花女	35.00 元
查拉图斯特拉如是说	38.00 元	沉思录	29.00 元
城南旧事	29.00 元	大卫·科波菲尔（上、下）	79.00 元
当代英雄	45.00 元	稻草人	29.00 元
地心游记	32.00 元	飞鸟集·新月集：泰戈尔诗选	39.00 元
飞向太空港	39.00 元	福尔摩斯探案集	58.00 元
复活	42.00 元	傅雷家书	49.00 元
富兰克林自传	36.00 元	钢铁是怎样炼成的	39.00 元
高老头	39.00 元	格列佛游记	35.00 元
格林童话全集	49.00 元	给青年的十二封信	38.00 元

书名	单价
古希腊悲剧喜剧集（上、下）	118.00 元
红楼梦	69.00 元
呼兰河传	35.00 元
基督山伯爵（上、下）	108.00 元
寂静的春天	35.00 元
简·爱	39.00 元
经典常谈	29.00 元
静静的顿河	128.00 元
局外人·鼠疫	38.00 元
克雷洛夫寓言	32.00 元
昆虫记	39.00 元
理想国	45.00 元
列那狐的故事	39.00 元
林肯传	39.00 元
鲁迅杂文选集	36.00 元
罗马神话	16.80 元
骆驼祥子	32.00 元
名人传	39.00 元
呐喊	29.00 元
欧·亨利短篇小说选	36.00 元
彷徨	32.00 元
飘（上、下）	88.00 元
骑鹅旅行记	36.00 元
热爱生命·海狼	38.00 元

书名	单价
海底两万里	38.00 元
红与黑	49.00 元
呼啸山庄	39.00 元
纪伯伦散文诗经典	42.00 元
假如给我三天光明	32.00 元
金银岛	35.00 元
荆棘鸟	45.00 元
镜花缘	49.00 元
菊与刀	35.00 元
宽容	32.00 元
老人与海	32.00 元
聊斋志异	55.00 元
猎人笔记	38.00 元
鲁滨逊漂流记	39.00 元
绿山墙的安妮	36.00 元
罗生门	39.00 元
美丽新世界	35.00 元
拿破仑传	49.00 元
牛虻	38.00 元
欧也妮·葛朗台	32.00 元
培根随笔全集	38.00 元
普希金诗选	42.00 元
乞力马扎罗的雪	39.80 元
人间草木：汪曾祺散文精选	49.00 元

书名	单价	书名	单价
人类群星闪耀时	36.00 元	人性的弱点	39.00 元
日瓦戈医生	68.00 元	儒林外史	42.00 元
三个火枪手	59.00 元	三国演义	59.00 元
沙乡年鉴	42.00 元	莎士比亚喜剧悲剧集	49.00 元
少年维特的烦恼	28.00 元	神秘岛	48.00 元
神曲（共三册）	128.00 元	十日谈	68.00 元
世说新语（上、下）	89.00 元	双城记	45.00 元
水浒传	69.00 元	四世同堂（上、下）	78.00 元
苔丝	39.00 元	谈美	35.00 元
谈美书简	36.00 元	汤姆 · 索亚历险记	32.00 元
汤姆叔叔的小屋	45.00 元	唐诗三百首	39.00 元
堂吉诃德	78.00 元	天方夜谭	42.00 元
童年	38.00 元	童年 · 在人间 · 我的大学	49.00 元
瓦尔登湖	36.00 元	我是猫	39.00 元
乌合之众	35.00 元	物种起源	42.00 元
雾都孤儿	44.00 元	西顿野生动物故事集	38.00 元
西游记	62.00 元	希腊古典神话	49.00 元
乡土中国	36.00 元	小妇人	45.00 元
小王子	29.00 元	星星离我们有多远	35.00 元
喧哗与骚动	58.00 元	羊脂球	38.00 元
一九八四	36.00 元	一间自己的房间	36.00 元
伊利亚特	82.00 元	伊索寓言：555 则	36.00 元
尤利西斯	58.00 元	约翰 · 克利斯朵夫（上、下）	98.00 元
月亮和六便士	45.00 元	战争与和平（上、下）	108.00 元

书名	单价	书名	单价
朝花夕拾	22.00 元	中国民间故事	39.00 元
子夜	49.00 元	最后一课	36.00 元
罪与罚	66.00 元